CHANGER DE VIE
d'Hélène Cyr
avec Luc Bouchard
est le mille cent-quatorzième ouvrage
publié chez VLB éditeur.

Direction littéraire : Mélikah Abdelmoumen
Coordination éditoriale : Ariane Caron-Lacoste
Révision : Emmanuel Dalmenesche
Correction d'épreuves : François Bouchard
Design de la couverture : Clémence Beaudoin
Photographie de la couverture : Groupe Rwanda avec Bougex

Catalogage avant publication de Bibliothèque et Archives nationales du Québec
et de Bibliothèque et Archives Canada

Titre : Changer de vie / Hélène Cyr, Luc Bouchard.
Noms : Cyr, Hélène, 1970- auteur. | Bouchard, Luc, 1963 juin 6- auteur.
Identifiants : Canadiana 20190026235 | ISBN 9782896495573
Vedettes-matière : RVM : Cyr, Hélène, 1970- | RVM : Aide humanitaire—Rwanda. | RVM : Femmes
d'affaires—Québec (Province)—Biographies. | RVM : Coopérants—Rwanda—Biographies.
Classification : LCC HC112.5.C97 A3 2019 | CDD 338.092—dc23

VLB éditeur bénéficie du soutien de la Société de développement des entreprises culturelles du Québec
(SODEC) pour son programme d'édition.
Gouvernement du Québec – Programme de crédit d'impôt pour l'édition de livres – Gestion SODEC.
Nous remercions le Conseil des arts du Canada de l'aide accordée à notre programme de publication.

Dépôt légal :
© VLB éditeur,
Tous droits réservés pour tous pays
www.editionsvlb.com
VLB ÉDITEUR
Groupe Ville-Marie Littérature inc.*
Une société de Québecor Média
4545, rue Frontenac, 3ᵉ étage
Montréal (Québec) H2H 2R7
Tél. : 514 523-7993
Téléc. : 514 282-7530
Courriel : vml@groupevml.com
Vice-président à l'édition : Martin Balthazar

DISTRIBUTEUR :
Les Messageries ADP inc.*
2315, rue de la Province
Longueuil (Québec) J4G 1G4
Tél. : 450 640-1234
Téléc. : 450 674-6237
* filiale du Groupe Sogides inc.,
   filiale de Québecor Média inc.

CHANGER
DE
VIE

HÉLÈNE CYR
AVEC LUC BOUCHARD

CHANGER DE VIE

vlb éditeur

À mes familles, ici et là-bas.

Il n'y a que deux conduites avec la vie :
ou on la rêve ou on l'accomplit.
René Char

Prologue

Courir

Je cours. Je cours depuis toujours. Je cours tous les jours. Peu importe l'heure. Peu importe l'endroit. À Montréal, à Paris, à Londres, à Berlin, à Bruxelles... Courir est mon exutoire, mon rituel. Courir, c'est sacré. Comme d'autres égrènent leur chapelet, moi, je visse des écouteurs dans mes oreilles, et je cours. Surtout en ville, là où tout le monde est dans sa bulle, là où personne ne semble se soucier de personne. Alors, j'en profite pour écouter la radio.

— Allez, go!

Ce jour-là, sur les ondes de la RTBF, on diffuse une table ronde au sujet du Festival international du film francophone de Namur. Les esprits s'échauffent. Les échanges sont vifs. Les désaccords nombreux. Les invités se coupent la parole sans arrêt. France, Maroc, Québec, Sénégal, Belgique... Variété d'accents. Bourdonnement de mots. L'animateur est complètement dépassé. La francophonie vire à la cacophonie, en direct à la radio.

Feu rouge.

Je scanne les fréquences en sautillant d'une jambe à l'autre à l'angle de la rue du Travail et de la rue du Commerce. *Tac, tac et tac, tac, tac et tac.* Écho de mes semelles qui claquent sur le trottoir. Les rues sont désertes. Bruxelles est une capitale bipolaire qui grouille de vie la semaine et se rendort le week-end.

Feu vert.

Je repars à petits pas. Droit devant, le parc Royal se dessine entre les arbres et les immeubles. J'adore les îlots de verdure au cœur d'une jungle de béton. Je franchis le grand portail métallique.

C'est parti !

Je mets le cap sur le kiosque à musique, je fais le tour de la grande fontaine et je slalome entre les statues du jardin des sculptures. Je remonte la contre-allée en poussière de roche, je longe le terre-plein bordé d'arbres centenaires et je tourne à gauche devant l'entrée de l'ancien abri antinucléaire. À l'approche du portail, je jette un œil à ma montre chrono et j'allonge la foulée. Premier tour de parc : moins de huit minutes.

À la radio, Céline Dion entonne « Pour que tu m'aimes encore ». Mon pouls accélère en entendant la voix de ma compatriote.

Fallait pas commencer, m'attirer, me toucher
Fallait pas tant donner, moi, je sais pas jouer...

Chaque fois que je cours, ces derniers temps, des images des quatre dernières années de ma vie se mettent à défiler dans ma tête. Berlin, 2002 : je deviens la plus jeune femme vice-présidente de l'histoire de Bombardier Transport. Londres, 2004 : je cours comme une poule sans tête sur un quai entre deux TGV. Bruxelles, 2006 : je m'engouffre en vitesse dans un taxi pour me rendre à une réunion de planification stratégique.

Toujours à la course.

Jamais à la traîne.

Les yeux rivés à l'écran de mon BlackBerry, 24 heures sur 24. En service 7 jours sur 7.

Fallait pas commencer
Fallait pas tant donner...

Le souffle court, je remonte la contre-allée. Vertige. La rangée d'arbres s'étire à n'en plus finir. L'insatisfaction qui me tord les tripes depuis des semaines me coupe les jambes. Je n'ai pas l'habitude de me parler à voix haute – personne ne fait ça – mais c'est plus fort que moi.

— Mais qu'est-ce qui t'arrive ?

J'entends de l'inquiétude dans ma propre voix. Je respire un grand coup. Je réduis le tempo.

— Aïe !

Douleur à la jambe. J'attrape ma cuisse droite à deux mains. Je m'affaisse sur le sol en poussant un long soupir.

— Une crampe ?

J'appuie sur le bouton « stop » de ma montre chrono. Je ne terminerai pas mon parcours. J'ai honte.

Je me traîne jusqu'à la maison. Je m'assure de bien refermer la porte cochère derrière moi. Je jette un œil à travers la fente de ma boîte aux lettres. Une voisine me rappelle au passage qu'il n'y a pas de courrier le dimanche. Je lui réponds d'un sourire crispé avant d'apercevoir par hasard mon reflet dans le grand miroir du hall. Je n'ai pas vraiment changé en vingt ans. Mêmes cheveux courts. Même corps svelte et nerveux.

Fallait pas commencer
Fallait pas tant donner...

Je regarde l'escalier qui mène à mon étage. Le sang bat dans ma jambe. Dehors, gyrophares allumés et sirène hurlante, une ambulance passe à toute allure. Marche après marche, je monte et j'essaie de comprendre le lien entre ma douleur et mon insatisfaction. J'ai le sentiment que mon corps cherche à me dire quelque chose.

Arrivée à mon étage, j'observe l'horizon de l'autre côté de la petite fenêtre devant ma porte. Le ciel s'assombrit à vue d'œil. Je sors ma clef de ma poche zippée et la glisse dans la serrure. Je me retrouve face à un miroir pour la deuxième fois en cinq minutes.

— Encore toi !

Je me regarde dans les yeux. Je sonde ma propre âme. Le miroir me renvoie un message clair : drapeau rouge !

Mais je ne l'entends pas. Je ne peux pas m'arrêter.

Bruxelles

Septembre 2006

CRAQUER

Une autre semaine qui commençait sur les chapeaux de roues. Je n'avais pas ménagé mes efforts le lundi, j'avais désespérément cherché la lumière au bout du tunnel le mardi... avant de foncer dans le mur le mercredi. Surdose de réunions qui n'aboutissaient à rien. Trop-plein de meetings où l'on cultivait avec complaisance les points de vue divergents, les querelles d'ego et la mauvaise foi. Alors le jeudi, quelque chose s'est brisé en moi. Quelque chose d'assez violent pour que le vendredi midi, je quitte le bureau sans rien dire à personne. Quelque chose de suffisamment cassant pour me pousser à marcher et marcher, pendant des heures et des heures, parcourant la ville tandis que le reste du monde vaquait à ses occupations.

J'ai erré ainsi je ne sais combien de temps, pour finir par me retrouver à deux pas de chez moi, devant le portail métallique du parc Royal.

Fallait pas commencer
Fallait pas tant donner...

Je me suis assise près de la grande fontaine pour observer ses longs jets d'eau qui formaient des arcs-en-ciel sous le soleil. Puis j'ai emprunté une longue allée bordée d'arbres centenaires et de statues entre lesquels des enfants slalomaient pieds nus sous les regards amusés de leur maman qui bavardaient entre elles. J'ai longtemps hésité avant d'aller m'asseoir à côté de ces femmes de toutes origines et religions qui surveillaient leur progéniture avec amour. J'ai fermé les yeux et me suis laissé, un long moment, bercer par le son de leurs voix, avant de me décider à éteindre mon BlackBerry – chose que je ne fais jamais ou presque – et de sortir un carnet de ma poche. J'ai attrapé mon stylo et commencé à dresser une liste. La liste de ce qui n'allait pas chez moi.

J'ai commencé à écrire, d'instinct : « Honte, arbres, bureau, fontaine... insatisfactions... » À partir de là, comme j'avais ouvert les vannes, les mots et les idées se sont mis à couler à flots : « Parc, frustrations, arcs-en-ciel, enfants, cul-de-sac, trains... insomnies... »

Insomnies.

Mes nuits du dimanche au lundi étaient les pires. Au point que je les avais baptisées *Dark Sundays*. Ça durait depuis plus d'un mois. Cinq lundis que je me faisais accroire que je traversais un simple passage à vide, et que ça n'allait pas durer. Cinq lundis que je tentais de rassurer mon reflet dans le miroir avant de me rendre au bureau le matin :

— Ne t'inquiète pas, Hélène, ça va passer.

Sauf que ça ne passait pas.

J'ai refermé mon carnet après avoir noirci une bonne vingtaine de pages. Dans l'intervalle, les femmes et les enfants s'étaient évaporés dans la nature, laissant derrière eux une tranquillité parfaite. J'en ai profité pour m'allonger sur le banc et croiser les bras derrière la tête. J'avais l'impression de faire l'école buissonnière. Mais un sentiment de culpabilité a fini par s'emparer de moi : je venais de remplir des pages entières d'émotions confuses, de dresser un état des lieux pour le moins préoccupant, sans chercher la moindre piste de solution. J'ai d'abord repoussé mon carnet d'un geste dédaigneux... pour le reprendre aussi vite, et le relire avec attention.

Il était temps de me rendre à l'évidence. Les (nombreuses) répétitions et fautes d'orthographe, sans parler de ce côté (pleurnichard) que je ne me connaissais pas, indiquaient clairement une chose : j'étais sur le point de craquer.

Je me suis redressée sur mon banc. Une part de moi refusait toujours l'évidence. Déni de réalité ? Orgueil démesuré ? Sans doute. Moi, surmenée ? D'accord. Désabusée ? Possiblement. Moi, démotivée ? Absolument. Mais moi, craquer ? Ça, jamais !

J'ai senti la colère monter en moi. Et une grande déception. J'ai rouvert mon carnet... pour le refermer de nouveau. J'ai regardé autour de moi. Par chance, quelqu'un avait laissé traîner un journal sur l'un des bancs où les femmes s'étaient rassemblées. Je suis allée le récupérer. De petits nuages de poussière se formaient autour de mes chaussures à chacun de mes pas. J'ai attrapé *La Libre Belgique* et suis retournée m'asseoir sur mon banc. En page 4, un article sur l'assemblée annuelle de l'Union astronomique internationale. D'après le journal, plus de deux mille spécialistes s'étaient donné rendez-vous à Prague pour déterminer si Pluton remplissait bien tous les critères pour mériter l'appellation de planète... J'ai posé le journal sur mes genoux en pensant à ces milliers d'astronomes et aux milliards de lignes de vie parallèles qui, sur Terre, se côtoient sans jamais se rencontrer.

Un vent paresseux soufflait maintenant sur le parc. Les feuilles des arbres frémissaient au-dessus de ma tête. J'ai fini par rouvrir mon carnet. Tout compte fait, la cohérence de mes propos me rassurait. Assez pour me donner envie de continuer à me creuser encore un peu les méninges. Assez pour me pousser à utiliser l'astuce d'un ami journaliste qui, jurait-il, permettait de résoudre toutes les énigmes de la vie – ou presque. Les fameux « 5 W » des anglophones : *Who ? What ? Where ? When ? Why ?*

J'ai commencé par le plus facile : *Where ?*

Bruxelles ne faisait pas partie du problème. J'habitais dans un petit appart super chouette, au dernier étage d'une vieille demeure bourgeoise située au cœur d'un quartier un peu trop huppé à mon goût, mais d'où il était possible de tout faire à pied. De plus, la capitale belge ne pouvait pas être la cause de mon mal-être puisque j'étais presque toujours ailleurs, en voyages d'affaires trois ou quatre jours par semaine, ou en train de rouler vers la mer en décapotable certains week-ends.

J'ai continué avec le *Who?*

Mini-CV : Hélène Cyr, 36 ans. Ingénieure. Canadienne. Bourreau de travail, sans mari ni enfant. Le titre sur ma carte de visite : « Vice-Présidente, Division Stratégie et transformations organisationnelles, Bombardier Transport, Division Produits et services de maintenance »... mais qui restera toujours une petite fille de la banlieue de Montréal prête à vendre des bananes sous un palmier, au besoin.

Et maintenant, *When?*

Quand le président de Bombardier Transport m'a nommée vice-présidente en 2004, il a aussi fait de moi la plus jeune vice-présidente de l'histoire de la compagnie. Mon mandat était de recueillir le maximum de données statistiques pour maximiser les performances et augmenter les marges de profit de l'ensemble de la Division Service. Pour y arriver, je devais connaître le coût et la durée de vie exacte de toutes les pièces nécessaires à la fabrication et à l'entretien de nos trains, mais également prévoir la fréquence des bris mécaniques à venir, sur une période de vingt ans. C'est que les fabricants de trains, à l'image de compagnies telles que Boeing, Gillette et Canon, ne tirent pas leurs profits les plus importants de la vente de leurs produits phares, mais de l'*après-vente* : contrats d'entretien, prestations de services, pièces de rechange, etc.

Quand le président m'a nommée, il m'a aussi lancé un sacré défi : faire de la Division Service la division plus rentable de la compagnie, en trois ans. C'est court, trois ans. Surtout quand il faut également doubler les revenus. Mais cela ne m'avait pas empêchée d'accepter. Je m'engageais en connaissance de cause, à un détail près : la férocité des rivalités internes.

Donc pourquoi, *Why?*

Parce que Bombardier compte des dizaines de milliers d'employés, répartis dans des divisions situées un peu partout sur la planète. Et que pour atteindre les objectifs fixés par mon président, je devais travailler en étroite collaboration avec les dirigeants de chacune de ces divisions, eux-mêmes chargés d'assurer le fonctionnement et la rentabilité de leur propre unité. Mais certains des autres vice-présidents me percevaient comme une menace. Pour eux, j'étais la petite jeune qui venait bousculer l'ordre établi. J'avais beau essayer de les convaincre, certains étaient réticents à l'idée de partager des informations avec moi, même pour le bien de tous, parce que cela risquait de les obliger à revoir leurs façons de faire. Résultat : je me retrouvais parfois, moi, la jeune femme qui venait mettre son nez dans leurs affaires, face à des hommes d'âge mûr qui étaient prêts à tout pour défendre leur chasse gardée. Je comprenais leur réaction : les projets d'amélioration de la productivité sont bien jolis sur le papier, mais ils le sont beaucoup moins à partir du moment où ils viennent tout chambarder sur votre territoire.

Quoi qu'il en soit, si, en théorie, tous les vice-présidents devaient adhérer à la stratégie du président, dans la pratique, certains s'évertuaient à me mettre des bâtons dans les roues. J'avais l'impression de devoir faire deux pas en arrière pour pouvoir faire un pas en avant. C'était à la fois ridicule et frustrant. Et c'était la raison pour laquelle je rentrais au bureau à reculons depuis plus d'un mois.

C'était le *Why*.

Voilà. C'est là que ça coinçait. Le fameux facteur humain. J'avais toujours été heureuse chez Bombardier. Quand j'avais été responsable des opérations de fabrication et des chaînes d'approvisionnement, par exemple. Quand j'avais dirigé des usines en Pologne, en Suède et en Angleterre aussi. Ou encore quand j'avais eu sous ma responsabilité plus de cinq cents ingénieurs et employés en Thaïlande et en Inde...

J'avais toujours aimé travailler chez Bombardier parce que j'avais eu l'impression de faire partie d'une grande famille humaine, que mon rôle était d'encourager les autres, de les aider à réussir. Ma passion dans la vie a toujours été de faire avancer les choses, pas de licencier des travailleurs pour verser des primes aux patrons.

Des « 5 W », il ne me restait plus que le dernier : *What* ?

De quoi étais-je faite, moi, Hélène ?

D'ambition et de passion. De gros bons sens et d'un talent certain pour faire gagner de l'argent à mes employeurs, sans doute hérité de mon père, incarnation du *self-made-man*. Mon père avait perdu son propre père jeune et s'était retrouvé chef de famille à l'âge de 19 ans. Ma grand-mère avait jugé bon de vendre la ferme familiale pour payer des études universitaires à son fils, cet entrepreneur dans l'âme qui avait commencé comme vendeur d'assurances avant d'ouvrir rapidement son propre cabinet de courtage et de services financiers.

En d'autres mots, mon père, c'était le côté gauche de mon cerveau, celui qui analyse et décortique les problèmes. Il m'avait également appris – même s'il m'a fallu du temps pour appliquer cette leçon – qu'il était possible de prendre des décisions difficiles et d'écouter son cœur sans fuir ses responsabilités. Le jour où il nous a annoncé qu'il quittait notre mère, par exemple, je n'avais que 16 ans. Pour lui, il était clair qu'il allait continuer à assurer le confort matériel de la famille après la séparation. Il a aussi laissé la maison familiale à ma mère afin que leurs enfants puissent continuer à y vivre jusqu'à la fin de leurs études. Le temps venu, il a offert à ma mère sa part de l'argent de la vente pour qu'elle s'achète sa propre maison.

Je ne réalisais pas tout ça à ce moment-là. Parce que j'étais ado et que j'avais d'autres priorités : les sports réels et les amours imaginaires.

Encore assise sur mon banc, j'ai continué à revisiter mon passé. J'ai repensé à mes folies de jeunesse et à mes amours imaginaires, avec lesquelles ma mère ne savait pas toujours quoi faire. Comme cette passion pour le concierge de mon école primaire, et plus tard cette obsession pour l'un de mes professeurs de gym au secondaire. Le truc avec les amours imaginaires, c'est que normalement, elles ne doivent pas passer du virtuel au réel. C'est pourtant ce qui m'est arrivé l'été de mes 15 ans.

Mes parents avaient un chalet au bord d'un lac où nous passions nos étés en famille, à jouer dans l'eau et à courir dans la forêt. Fidèle à mon habitude, j'avais trouvé le moyen de m'y inventer une idylle. C'était plus fort que moi. Tout se passait dans ma tête, bien évidemment, mais j'y croyais dur comme fer.

Il y avait une trentaine de chalets autour de notre lac. Tout le monde se connaissait de près ou de loin, mais personne ne se doutait de l'attirance que j'éprouvais pour mon voisin. À commencer par le principal intéressé, qui ne pouvait pas s'imaginer à quel point il me faisait rêver depuis le jour où il m'avait emmenée à la pêche à la truite.

Au début, nous faisions des choses typiques de chalet : couper du bois, mettre un quai à l'eau, beugler avec les vaches. Et comme sa fiancée, la vraie, préférait lire au soleil que faire du sport, nous jouions de plus en plus souvent ensemble, le voisin et moi. Nous allions à la pêche. Nous nous lancions la balle de baseball. Nous nagions dans le lac. Nous faisions de la planche à voile : je l'admirais en secret, allongée sur la planche, pendant qu'il tenait le *boom* avec majesté. Nous ne faisions rien de mal... jusqu'au jour où, quelques années plus tard, alors que nous regardions des poissons gigoter entre nos jambes dans le ruisseau, il m'a embrassée.

Je n'étais pas du tout préparée à *ça*. Je me souviens d'avoir eu envie de rire et de pleurer à la fois. Personne ne m'avait prévenue qu'un de mes amoureux imaginaires cesserait un jour de l'être et qu'il débarquerait dans ma vraie vie. Ni qu'il aurait dix ans de plus que moi et serait sur le point de se marier. Ou qu'il avouerait sa faute à sa fiancée le soir même, et que la rumeur du baiser au bord du ruisseau se propagerait comme une traînée de poudre autour du lac et que les mauvaises langues s'en donneraient à cœur joie. Mais pas le père de la fiancée. Surtout quand son futur gendre déciderait, à la fin de l'été, d'annuler le mariage.

La journée tirait à sa fin. J'ai sorti mon BlackBerry de ma poche pour voir l'heure : 19 h 43. Trop tard pour retourner au bureau. Ce n'était pas mon genre d'être injoignable et pourtant, j'avais tout laissé en plan sans avertir personne, et je ne ressentais aucune culpabilité. Je me sentais même l'esprit léger. Je me suis levée d'un bond et j'ai traversé le parc d'un pas sautillant. Mes pieds touchaient à peine terre. Ma journée de travail était terminée. J'avais le sentiment qu'une nouvelle vie s'apprêtait à commencer.

BOUGER

Je suis allée au bureau d'un pas hésitant, la légèreté de la veille s'était envolée. J'anticipais la réaction de mes collègues. Je les avais imaginés curieux de savoir ce qui m'était arrivé... mais non. Rien. Personne n'avait remarqué mon absence. Je n'étais manifestement pas aussi indispensable que je le pensais.

J'ai salué mon assistante avant d'aller m'installer à mon bureau pour téléphoner à mon patron. Je devais le voir le plus vite possible. Il était hors de question de continuer à m'enfoncer dans cette spirale. Ma décision était prise.

Le bureau du président était au cinquième étage, comme le mien, mais du côté le plus ensoleillé. Il avait de grandes fenêtres panoramiques et une belle luminosité. Ses murs blancs étaient recouverts de magnifiques tableaux de paysages canadiens. Une grande table de conférence en bois d'érable trônait au milieu de la pièce. Deux grands fauteuils rembourrés de cuir tanné apportaient une touche rétro à l'ensemble.

Je suis entrée dans le vif du sujet sans même lui laisser le temps de m'offrir à boire.

— Je suis venue vous dire que je m'en vais.

Il s'est légèrement redressé sur son siège de capitaine.

— Vous avez eu une offre?

Pas du tout!

— Vous êtes malade?

Je ne m'attendais pas à cette question.

— Non.

— Des problèmes familiaux?

À celle-là non plus.

— Non.

— Je ne comprends pas...?

J'ai pris une grande respiration avant de continuer. La conversation prenait une tournure inattendue.

— J'ai l'impression de faire fausse route.

— Pour vrai?

J'ai regardé l'horizon à travers la grande fenêtre derrière lui. Je sentais la pression monter.

— J'ai besoin de passer à autre chose.

— Comme quoi?

Je tournais autour du pot. J'éprouvais sa patience.

— Je ne sais pas encore.

— Je ne comprends pas, Hélène. Vous êtes hyper performante. Vous allez bientôt gagner plus qu'un million de dollars par année. Vous avez tout pour devenir présidente...

C'est là que j'ai éclaté en sanglots. Moi qui n'ai pas la larme facile, je me suis mise, tout à coup, à pleurer à gros bouillons. Mon président m'a tendu une boîte de mouchoirs. Je devais être rouge comme une tomate. Je faisais des efforts surhumains pour essayer de me ressaisir, mais je n'en avais pas la force. Je cherchais mon souffle, il cherchait ses mots. Il avait l'air encore plus mal à l'aise que moi.

— Prenez quelques jours de congé.

— De congé?

— Pour vous reposer un peu.

— Pour me reposer?

J'aurais dû m'y attendre. Son hypothèse semblait plausible, au vu de mes symptômes : propos incohérents *plus* état de fébrilité *plus* rivière de larmes égale : *burn-out*.

J'ai entendu un jour un psy dire à la radio que la majorité des gens préfèrent se satisfaire d'une situation familière qui leur est nuisible et dans laquelle ils sont malheureux, que de prendre le risque de changer de vie. Même quand tout indique que le seul fait de changer leur permettrait d'aller mieux.

En *burn-out*, moi ?

Réflexion faite, ce n'était pas impossible. Je ne prenais plus de plaisir au travail. L'angoisse me torturait depuis des semaines. Je souffrais d'insomnie.

— Prenez une semaine, Hélène.

— Une semaine ?

— Pour réfléchir un peu.

— Réfléchir ?

Je ne l'écoutais plus que d'une oreille. De combien de temps une chenille a-t-elle besoin pour se métamorphoser en papillon ? Pour sortir de son cocon et déployer ses ailes ?

— Revenez me voir dans une semaine, d'accord ?

— D'accord.

Parfois, je ne me comprends pas. J'avais eu le courage de me présenter devant mon patron pour lui annoncer que je voulais partir et que ma décision était prise. J'avais fait le plus difficile, lui parler, mais je n'avais pas réussi à exiger qu'il me laisse partir. J'en ai pesté intérieurement tout le long du trajet vers mon appartement.

Je me suis arrêtée à la boulangerie au coin de la rue et j'ai joué à faire l'avocat du diable en patientant dans la file. Mon patron avait peut-être raison ? Tout ne se résumait peut-être qu'à une accumulation de fatigue ? Son idée de me donner une semaine de congé pour réfléchir n'était peut-être pas si mauvaise ?

La patronne de la boulangerie m'a demandé ce que je faisais là à cette heure de la journée. Sans m'attarder sur les détails, je lui ai répondu que j'étais en congé pour quelques jours. Nous avons discuté pendant un bon moment toutes les deux. J'aime ces petits commerces où l'on peut tisser des liens de confiance avec des artisans. Ces cafés où l'on peut attraper des bribes de conversations. Ces bistros où des gens de tous les horizons se rassemblent autour d'un verre pour rire et refaire le monde. Ces boutiques de quartier où l'on se retrouve entre habitués plutôt que de rester confiné seul chez soi entre quatre murs devant un écran de télé.

J'ai déposé mon pain sur le comptoir en arrivant à la maison, avant d'aller enfiler ma tenue de jogging. Besoin de bouger. Besoin de me changer les idées. J'ai attrapé mes écouteurs et descendu les six étages en vitesse, avant de commencer à remonter la première rue à droite – comme habitude – puis de m'arrêter aussi sec.

À quoi bon emprunter toujours le même chemin ?

Repartant en sens inverse, je me suis vite retrouvée du côté de Matonge, le quartier africain de Bruxelles. J'ai fait le tour de l'immense tripode en inox brossé qui domine le rond-point de la porte de Namur, deux fois, avant de mettre le cap vers le centre historique : Mont des Arts, Gare centrale, Manneken-Pis... J'ai sillonné les rues étroites du quartier de la Grand-Place. Petit à petit, mon parcours improvisé prenait l'allure d'un circuit touristique. Je courais tout en me demandant ce que j'allais faire du reste de ma journée. Quelque chose me disait qu'il valait mieux ne rien changer à mes habitudes des (rares) dimanches et (autres) jours fériés où je me trouvais à Bruxelles. Flâner autour de la maison, faire un peu de ménage, acheter des journaux et m'installer à la table d'un bistro pour les lire, de la première à la dernière page.

L'un de mes endroits préférés s'appelait *À la mort subite*. C'est une des grandes brasseries historiques de la capitale belge. Située légèrement en retrait de la Grand-Place, sur la rue Montagne-aux-Herbes-Potagères, *À la mort subite* a une salle principale meublée de tables en bois jaune paille, et dont le plafond est soutenu par de hautes colonnes. De longues banquettes en moleskine usées par des générations de cuisses et de fesses bordent ses murs. Il y a des corniches ornées de moulures et des fresques défraîchies au plafond, des photos jaunies sous un éclairage tamisé. C'est le genre d'endroit où l'on peut manger de façon honnête tout en s'offrant un petit voyage dans le temps. Mais je fréquentais surtout le lieu pour la qualité de sa bière et le charme suranné de ses serveurs habillés en pingouins.

J'ai ressenti une émotion inexplicable au moment d'entrer. *À la mort subite* venait à peine d'ouvrir ses portes et, mis à part un vieux monsieur avec un petit nœud papillon en pleine conversation avec son verre, l'endroit était désert. Du fond de la salle, le patron m'a fait signe de m'asseoir là où je voulais. Je me suis attablée près des pompes à bière et j'ai déposé ma pile de journaux.

— Le Canada va bien?

— Le Québec va fort!

Un petit rire taquin s'est échappé de la bouche de Bernard. De tous les serveurs, il était mon préféré. Un vieux de la vieille, d'une courtoisie et d'une discrétion exemplaires, portant une épaisse chevelure argentée, presque lumineuse.

— Et le monde des transports, lui?

— Ça roule en titi!

Il s'est éloigné d'un pas rapide pendant que je dépliais l'*International Herald Tribune* devant moi. En première page, un long article sur la fusion entre Alcatel et Lucent, deux joueurs majeurs du monde des télécommunications. J'ai tourné la page. Je n'avais plus la tête à lire ce genre d'histoires. Déjà donné, comme on dit, et ce, depuis le jour où j'étais sortie de l'université. C'est à partir de là que tout s'est mis à aller vite – très, très, très vite. J'avais commencé à travailler pour le cabinet de conseil McKinsey, décroché ma maîtrise (MBA) à l'INSEAD (Institut européen d'administration des affaires), puis travaillé à l'Imasco pour ensuite entrer au service d'Egon Zehnder International.

J'avais changé de poste tous les deux ans environ pendant cette période intense – je changeais dès que j'avais l'impression de m'engluer dans une routine ou d'avoir fait le tour de la maison. J'avais même développé une stratégie de sortie : je convoquais à une réunion les associés dirigeants pour leur expliquer qu'il était dans l'intérêt de tous que j'aille relever de nouveaux défis, ailleurs.

D'ordinaire, ces rencontres provoquaient deux types de réactions.

La première : « Partir ? Mais pourquoi ? On est satisfait de votre travail ! »

La seconde : « De nouveaux défis ? Vous gagnez super bien votre vie ! Vous allez bientôt faire 500 000 dollars par année, si vous restez... »

J'avais beau leur expliquer que mon épanouissement personnel était plus important pour moi que mon salaire annuel, ils n'arrivaient pas à se faire à l'idée que je préférais m'amuser en gagnant moins que de m'embêter en gagnant plus.

C'était d'ailleurs ce que j'avais rétorqué aux gens de Bombardier lorsqu'ils m'avaient demandé pourquoi j'étais prête à accepter de couper mon salaire de moitié pour travailler chez eux. Je gagnais plus de 200 000 dollars par an à l'époque et ils ne m'en proposaient que 100 000.

— Parce qu'il faut parfois faire un pas vers l'arrière pour en faire trois vers l'avant.

Cinq ans plus tard, entre les primes d'objectifs et les attributions d'actions, ma rémunération avait quintuplé.

Bernard est venu m'apporter quelques olives et j'en ai profité pour lui commander une autre gueuze. Ma dernière – la bière d'*À la mort subite* porte très bien son nom. J'ai levé mon verre en pensant à cette semaine de congé, avant de plonger dans *Le Monde* comme un enfant dans un bol de crème glacée.

Page 5, un article m'a figé le sang : « Une fusillade dans un établissement scolaire de Montréal fait deux morts. »

Soudain, je suis de retour en 1989, accroupie derrière une étagère de livres dans la bibliothèque de l'école Polytechnique de l'Université de Montréal. Des coups de feu résonnent...

Je me suis ressaisie, suis revenue au présent et me suis redressée sur mon siège. J'ai pris deux grandes respirations. J'ai continué de lire : « La fusillade a eu lieu dans le collège Dawson, établissement pré-universitaire anglophone situé en plein centre de Montréal et fréquenté par plus de 10 000 étudiants. »

Mon regard semblait vouloir s'arrêter sur chaque mot. Mon cerveau filtrait les informations au compte-gouttes :

Un homme a déclenché une fusillade [...] tuant une jeune femme et faisant dix-neuf blessés [...] Après plusieurs heures de confusion ponctuées de rumeurs contradictoires et d'images d'étudiants fuyant en pleine panique [...] la police avait abattu le tireur [...] un jeune Canadien [...] d'origine sri-lankaise [...] âgé de 25 ans [...] le tireur avait agi seul [...] il disposait de trois armes [...] Le premier ministre canadien [...] a dénoncé un acte « lâche et insensé » [...] « J'ai vu le tireur. Il était vêtu de noir et il était en train de tirer sur des gens », a déclaré un jeune homme. [...] Cette fusillade rappelle la tuerie du 6 décembre 1989, lorsqu'un tireur fou, Marc Lépine, avait ouvert le feu à l'École polytechnique de Montréal. Pour se venger des « féministes », ce chômeur dans la mi-vingtaine avait tué treize étudiantes et une secrétaire de l'école et blessé treize femmes avant de se tirer une balle dans la tête[1].

---

1. *Le Monde* avec AFP et AP, « Une fusillade dans un établissement scolaire de Montréal fait deux morts », *LeMonde.fr*, 13 septembre 2006.

Mais, ça, je le savais déjà. *Parce que j'étais là.*

Je n'ai pas pu terminer l'article. Je me suis levée d'un coup pour aller me réfugier dans les toilettes. Malaise. Je tremblais comme une feuille. J'avais chaud. J'avais froid. Le miroir me renvoyait l'image d'un fantôme. Je tournais en rond. J'ai ouvert le robinet et laissé couler de l'eau froide sur mes poignets pour me calmer.

Oui, j'étais là, lors de la tuerie de l'École polytechnique de l'Université de Montréal, le 6 décembre 1989. Je me trouvais au café étudiant avec des amis. Au deuxième étage. Pile au-dessus de la cafétéria où Marc Lépine a ouvert le feu en premier. Entre les tirs, les cris de détresse et les mouvements de foule, la fusillade avait plongé l'université dans un chaos total. Ma première réaction avait été de m'enfoncer dans le déni. Je me souviens même avoir dit au copain avec qui j'étudiais qu'il devait s'agir d'une mauvaise blague. Mais ça, c'était avant que la panique s'installe et que tout le monde se mette à courir dans tous les sens.

Mon ami et moi avons suivi un groupe d'étudiants qui se dirigeait vers la bibliothèque, où un gardien de sécurité a barricadé les portes derrière nous en vitesse, et nous sommes restés cachés entre les rangées de livres pendant je ne sais combien d'heures, jusqu'à ce que le calme revienne... Et alors nous avons découvert l'ampleur du carnage. Nous sommes sortis de la bibliothèque en file indienne. Il y avait du sang partout : sur les murs, les poignées de porte, les planchers. Nous longions les couloirs. Nous avancions pas à pas. Nos pieds pesaient des tonnes. Nous sommes passés devant la classe où Marc Lépine s'était suicidé après avoir tué quatorze femmes. Un soulier gisait dans une mare de sang près d'une porte. Plus loin, une jeune fille, recroquevillée en position fœtale, agonisait en silence. J'ai eu le réflexe d'aller vers elle, mais un ambulancier m'a hurlé de sortir de là au plus vite.

Au plus vite ? Pour aller où ?

En sortant de la rue sans nos manteaux, nous avions l'air de somnambules. Nous tournions la tête de tous les côtés. Dans le stationnement extérieur, les gyrophares tourbillonnants des véhicules de police et des ambulances donnaient l'impression que le chaos s'était répandu sur toute la ville.

Au bout d'un moment, nous nous sommes retrouvés devant ma voiture, mon ami et moi. Nous nous sommes mis à rouler à l'aveugle. Comme dans un épais brouillard. Sans réfléchir. Sans nous parler. Sans musique. Deux âmes à la dérive. Deux pauvres égarés au milieu d'un cauchemar. Entre le début de la fusillade et le moment où nous avons enfin pu rentrer chez nous, presque cinq heures se sont écoulées. Cinq heures pendant lesquelles mon père et ma mère se sont démenés, malades d'inquiétude, pour avoir de mes nouvelles, en vain.

Après le massacre, j'ai longtemps cherché à comprendre comment un homme de 25 ans pouvait en être arrivé à décider de tirer sur des femmes avec une carabine semi-automatique. J'ai essayé de trouver une explication à la rage destructrice de Marc Lépine. Si mystérieuses que demeurent pour moi les raisons de son geste, je n'ai pu faire autrement que d'éprouver, au fil des années, une certaine empathie pour sa mère. La mère d'un tueur, car la vengeance et la rancœur ne font pas partie de mes valeurs.

La tuerie de Polytechnique m'a fait comprendre que j'ai grandi dans une partie du monde où il est assez aisé de vivre en tant que femme – et c'est précisément pour cette raison que je me suis trouvée à l'École polytechnique le 6 décembre 1989. Mais j'ai aussi pris conscience de la fragilité de cet acquis.

Le serveur est revenu vers moi, pour s'assurer que « le Canada ne manquait de rien ». J'ai pris une longue gorgée de bière sous son nez en guise de réponse. D'après le journal, le tueur de la fusillade du collège Dawson était un Canadien d'origine sri-lankaise. Un autre souvenir m'est revenu en mémoire, le souvenir de mon périple là-bas, au Sri Lanka, deux ans plus tôt. Cela m'a surtout ramenée à l'impuissance que j'avais ressentie après le tsunami du 26 décembre 2004. Le raz-de-marée avait englouti le *Queen of the Sea,* le train qui reliait les villes de Colombo et de Galle, faisant disparaître d'un coup le millier de passagers qui se trouvaient à son bord. C'est dans un journal que j'étais tombée sur la nouvelle du naufrage, quelque temps après mon séjour au Sri Lanka, de la même façon que je venais de découvrir la nouvelle de la fusillade du collège Dawson. J'avais pris le *Queen of the Sea* quelques semaines à peine avant la tragédie...

La fusillade de la Poly et ce tsunami font partie de mes rendez-vous manqués avec un destin tragique, deux exemples parmi bien d'autres. Manifestement, chaque fois, ce destin tragique ne voulait pas de moi.

Des années plus tôt, en 1995, alors que j'habitais à Fontainebleau, pas très loin de Paris, j'avais échappé de peu à un attentat. En juillet de cette année-là, une bombe à retardement cachée sous le siège d'un train de banlieue avait explosé à Saint-Michel, au moment où la rame arrivait dans la station souterraine. L'explosion avait fait huit morts et presque deux cents blessés. Comme des milliers d'autres voyageurs, je transitais par Saint-Michel régulièrement. Je m'étais trouvée sur ce même quai à plusieurs reprises – mais heureusement, pas ce jour-là.

Autre rendez-vous manqué avec la tragédie : en juillet 2005, je vivais à Londres quand trois bombes ont éclaté dans le métro et qu'une quatrième a déchiqueté un autobus à deux étages, le tout en l'espace d'une heure. Les explosions ont fait cinquante-six morts et plus de sept cents blessés. King's Cross St Pancras, l'une des stations touchées, est l'une des plateformes de correspondance les plus importantes de la capitale. Des dizaines de milliers de personnes empruntent quotidiennement ce grand carrefour. Comme moi à l'époque.

J'ai siroté ma bière pendant un long moment avant de me résoudre à demander l'addition. La vieille horloge suspendue au mur indiquait 16 h 08. Le temps passait vite *À la mort subite*. J'ai salué mon ami serveur avant de sortir.

Dehors, le temps était capricieux. Je me suis arrêtée devant un présentoir de cartes postales de l'autre côté de la rue Montagne-aux-Herbes-Potagères. Chaque présentoir semblait réservé à un thème particulier. Les cartes consacrées au hasard et au destin ont retenu mon attention : « Il n'y a rien de plus triste qu'une vie sans hasard » (Honoré de Balzac) ; « On ne lutte pas contre la force du destin » (Eschyle) ; « Hasard ou destin, la réponse n'est pas simple » (Joseph Kessel)...

Pensive, je me suis remise en marche. La Grand-Place était vide. Une légère bruine mouillait les pavés. Mon corps déambulait dans Bruxelles tandis que ma tête revisitait Colombo. Au Sri Lanka, la guerre civile avait été longue et sanglante, et le cessez-le-feu était encore précaire lors de mon passage, à l'automne 2004. Mais en dépit de sa précarité, la suspension temporaire des hostilités permettait à la population de reprendre son souffle, de renouer avec la possibilité de vivre en paix.

Et voilà que le tsunami était venu tout détruire, à coups de vagues de 30 mètres de haut, balayant l'île. Plus de trente mille Sri-Lankais engloutis d'un coup. À l'époque, de retour chez moi, j'avais été submergée par un puissant élan de solidarité en apprenant la nouvelle. Assez puissant pour considérer sérieusement l'idée de revenir sur place afin d'offrir mon aide... mais pas assez pour passer de la pensée aux actes.

Ce n'était pas la première fois que je baissais les bras au lieu de prêter main-forte. J'avais plus ou moins fait la même chose lors de mon premier voyage en Afrique noire. Comme je l'avais alors découvert, la survie des habitants d'un bidonville situé près de Nairobi, la capitale du Kenya, dépendait de ce qu'ils déterraient dans un dépotoir géant où le niveau de plomb était si élevé qu'ils s'empoisonnaient avec ce qu'ils venaient y chercher. La situation m'avait tellement révoltée que je m'étais juré de trouver le moyen d'améliorer leur sort. Et puis... non. J'étais retournée dans mon pays, et à mon train-train quotidien. Là où il y a toujours quelque chose de plus urgent à faire. Là où il est tellement plus facile d'envoyer un chèque.

Ma semaine de « vacances » tirait à sa fin. Il pleuvait à boire debout. La surface du parc était détrempée par les continuelles averses d'automne. J'ai piqué un petit sprint vers le kiosque à musique. Dans mes écouteurs, la voix de la présentatrice de la RTBF se voulait rassurante : la circulation allait bientôt revenir à la normale sur les Grands Boulevards. Je me suis arrêtée devant « mon » banc et je m'y suis assise pour réfléchir un peu plus à mon avenir... et à mon présent. La fabrication et l'entretien au moindre coût des trains d'une grande compagnie, était-ce vraiment là ma raison de vivre ? Se résumait-elle à générer le maximum de profits pour la direction et les actionnaires ?

J'ai remis mes écouteurs. À la radio, un homme prédisait maintenant des conditions météo défavorables pour les jours à venir. J'ai repensé à la citation de Joseph Kessel : « Hasard ou destin, la réponse n'est pas simple. » Je me suis levée d'un bond pour me remettre à courir.

En arrivant au travail, j'ai lancé un sourire bienveillant à son assistante avant d'entrer dans le bureau de mon patron. Ici, rien n'avait changé. Dehors, le ciel était d'un gris de cendre, et un escadron de nuages menaçants survolait la ville à basse altitude. Mon patron m'a fait signe de m'asseoir. Nous sommes tout de suite entrés dans le vif du sujet.

— Vous allez bien ?

— Ça va, merci.

— Vous en avez profité pour vous reposer ?

— Oui.

— Vous avez eu le temps de réfléchir ?

— Oui.

Comment résumer la suite ? Comment rendre compte d'un si long silence ? Mon patron a enfin repris la parole :

— Et alors... ?

— J'ai...

— Vous... ?

— J'ai besoin de temps...

— Moi aussi...

— Vous... aussi ?

Je n'ai pas tout de suite compris. Mon esprit était si obnubilé par la peur de me dégonfler que je n'avais même pas pris le temps de réfléchir aux conséquences de mon geste.

— Moi aussi, j'ai besoin de temps.

— Ah bon... ?

Il est vrai qu'il n'était pas en crise de milieu de vie, lui. Mais il était en train de perdre l'une de ses vice-présidentes.

— Mais j'accepte votre décision.

— Pour vrai ?

— À condition que vous restiez en poste jusqu'à ce qu'on trouve une solution de remplacement.

— C'est-à-dire ?

Il a hésité un long moment avant de répondre.

— Trois mois.

— Quoi ?

— Jusqu'à Noël.

— Hein ?

— En attendant, prenez donc une autre semaine de congé.

— Mais je n'ai pas besoin d'une autre semaine de congé.

— D'accord ?

— D'accord.

ASSURER

La réunion m'avait laissée perplexe. Mon patron acceptait ma démission, mais il m'empêchait de partir, du moins tant qu'on

n'aurait pas réussi à me remplacer. Il avait été très clair sur
ce point.

J'ai ravalé ma fierté et dévalé à toutes jambes l'escalier qui
menait au stationnement où m'attendait mon Alfa Romeo
décapotable rouge, dans son espace réservé. Le temps de
mettre le contact et d'ouvrir le toit, j'étais déjà sur l'autoroute
en train de filer, cheveux au vent, vers les plages d'Ostende.

De toutes les mers que j'ai côtoyées, la mer du Nord est la
plus triste et la plus rude. La plus mystérieuse aussi. Atlantique
et baltique à la fois, capricieuse et maussade, la mer du Nord
est bordée par des pays qui ont écrit des pans entiers de notre
histoire : la France, la Grande-Bretagne, la Belgique, les Pays-
Bas, l'Allemagne, la Norvège, le Danemark...

Bien trop froide pour que je m'y baigne, je lui rendais néanmoins visite un week-end par mois depuis que j'habitais à
Bruxelles. J'aimais marcher des heures sur ses plages. J'adorais son odeur de sel et le son de ses vagues. Les vieux cargos
rouillés qui la sillonnaient aussi.

Ah! Le plaisir de respirer à pleins poumons l'air vivifiant
de l'océan.

L'effet bénéfique des ions négatifs sur le cerveau!

J'ai regardé ma montre chrono. Dans ces circonstances,
les heures s'égrenaient avec bonheur dans le plat pays.
Même quand le ciel s'assombrissait à vue d'œil et que le
temps devenait menaçant. Même pour ceux qui, comme
moi, avaient un faible pour les décapotables. Mea culpa,
j'adorais rouler les cheveux au vent, le pied au plancher et la
musique à fond. Surtout sur des routes comme celle qui relie
la mer du Nord à Bruxelles, avec ses belles lignes droites
sur lesquelles je pouvais lancer à toute vitesse mon Alfa
Romeo.

S'agissant de *Romeo,* celui de mon Alfa était le seul dans
ma vie. J'évoluais dans un milieu où l'on travaillait presque
plus d'heures qu'il y en avait dans une journée. Un *business*
qui carburait à la performance et aux résultats, et où il était

interdit d'échouer. Bref, un milieu où l'amour romantique était une catastrophe annoncée, une erreur à éviter. Surtout pour une femme.

Voilà pourquoi, après les amours imaginaires de ma jeunesse, je me suis mise à collectionner les amours impossibles en sortant de l'université. Plus je gravissais les échelons, plus j'explorais le territoire des aventures sans lendemain. Toujours de manière discrète. Souvent en cachette. Généralement avec des collègues de travail. Après tout, c'étaient les seuls hommes que je croisais au cours de mes journées de vingt heures. Ils étaient d'ailleurs tous mariés à leur carrière, eux aussi. Personne ne m'avait prévenue des dangers de tout miser sur son travail quand j'étudiais en *business* à l'université, et des ravages que cela pouvait entraîner dans la vie personnelle.

Je l'ai donc appris à la dure.

Malgré ma carapace de *workaholic*, et même si je m'étais promis de ne jamais tomber amoureuse d'un de mes collègues, cela a fini par arriver. J'étais jeune et ambitieuse. Il était marié et haut placé. Notre histoire était vouée à l'échec. L'atterrissage s'annonçait brutal avant même le décollage. Et il le fut. J'en suis sortie le cœur troué, l'âme en peine face à l'horreur du vide, cet espace qui ne contient plus rien ni personne, et j'ai bien failli y perdre pied.

Les cheveux au vent, les mèches folles, les yeux rivés sur la route, j'ai continué de rouler à toute vitesse sur l'autoroute. Un panneau indiquait Bruxelles à 25 kilomètres. Un deuxième encourageait à respecter les limites de vitesse. La circulation était dense. Les semi-remorques défilaient à un train d'enfer sur la voie de droite.

J'ai syntonisé la RTBF. La première chaîne belge diffusait une émission spéciale pour souligner l'anniversaire de la mort de Jacques Brel.

J'ai tout de suite reconnu les premières notes de « La quête » :

Rêver un impossible rêve
Porter le chagrin des départs
Brûler d'une possible fièvre
Partir où personne ne part...

Une sabbatique...

Peu m'importent mes chances
Peu m'importe le temps
Ou ma désespérance...

À l'aube de mes 40 ans.

Et puis lutter toujours
Sans questions ni repos
Se damner...

Rester jusqu'à Noël comme promis, puis...

... Je ne sais si je serai ce héros
Mais mon cœur serait tranquille...

Partir.

J'ai profité de ma deuxième semaine de congé pour rencontrer les responsables des ressources humaines et discuter des conditions de mon départ. Puisque j'étais un cas atypique – les hauts dirigeants de grandes multinationales qui quittent volontairement leurs fonctions au zénith de leur carrière sont rares –, il nous a fallu plus d'une rencontre pour arriver à nous entendre sur la meilleure manière de procéder pour tout le monde, mais nous y sommes parvenus.

J'allais donc rester, en effet, mais pas plus tard que Noël.

Une fois rentrée chez moi, j'ai décidé d'aller courir au parc pour souligner cette étape importante, mais un coup d'œil rapide à travers la fenêtre de mon salon m'a fait hésiter.

L'horizon était chargé de nuages obscurs. L'orage s'appro-chait dangereusement. Je me suis regardée dans le miroir. J'étais bien trop *high* pour me laisser décourager par quelques gouttes de pluie!

— Allez, go!

J'ai enfilé mon short et mes espadrilles avant de visser mes écouteurs dans mes oreilles. J'entendais le tonnerre gronder à l'extérieur en descendant l'escalier. D'énormes trombes d'eau s'abattaient sur le trottoir devant l'immeuble. Les caniveaux se transformaient en torrents. La panique s'installait dans la rue. Les gens couraient dans tous les sens, cherchant refuge quelque part. Les canaux d'irrigation recrachaient de l'eau boueuse. Une odeur suspecte flottait dans l'air. Je me suis lancée, sans réfléchir. Sans me défiler.

Les grilles du parc Royal étaient fermées à double tour. Les dieux du vent et de la pluie hurlaient de colère. Les éclairs déchiraient le ciel. La pluie claquait comme un fouet. Les arbres s'accrochaient à leurs racines. De petites tornades de poussière se formaient ici et là tout au long de la grande avenue.

Il n'y avait pas d'autre choix: j'ai tourné les talons et je suis retournée à la maison. Me mettre à l'abri. Plus question de me défiler, dans la vie, certes. Mais pas question de me mettre en danger non plus.

Le lendemain, je me suis réveillée le cœur soulagé. J'avais pro-fité d'une légère insomnie pour mettre au point une stratégie de retour au travail, afin d'aborder les prochains mois avec sérénité. Je me devais de rester fidèle à mes convictions comme à mes engagements, à moi-même, mais aussi à l'homme qui avait fait de moi la plus jeune vice-présidente de l'histoire de sa compagnie.

J'étais presque détendue au moment de reprendre le travail. J'ai assumé mes responsabilités sans contrarier personne. J'ai offert des conseils pratiques en mettant des gants blancs. J'ai distillé mes consignes avec parcimonie. Je ne cherchais plus à convaincre qui que ce soit. La guerre des egos ne me donnait plus de boutons. Les combats de coqs ne m'empêchaient plus de dormir.

Ainsi, je me suis retroussé les manches et j'ai replongé, tête baissée, dès la fin septembre. Lorsque je l'ai relevée, la ville avait déjà installé le sapin de la Noël au milieu de la Grand-Place. J'ai interprété ça comme un signe. Le soir même, j'ai acheté mon billet d'avion pour Montréal. Il était temps.

MONTRÉAL

Janvier 2007

ATTERRIR

La première chose que j'ai faite en arrivant a été de m'acheter un condo. Ma mère est tombée de sa chaise quand je l'ai appelée pour lui proposer de venir y faire une visite.

— Tu reviens pour de bon ?

— Pour l'instant.

En cours de route, elle s'est amusée à me lire des extraits de la brochure promotionnelle du complexe immobilier. « Le luxe en plein cœur de l'action... Qualité exceptionnelle... Classe européenne... Vue imprenable... Terrasses sur le toit... Piscine extérieure chauffée entre les deux tours... Les salles de bain appellent à la relaxation... »

Elle s'est mise à rire.

— Tu as une salle de bain qui « appelle à la relaxation » ?

— Oui, madame.

Elle a inspecté tous les tiroirs et toutes les armoires, tous les coins et recoins. Je l'observais du coin de l'œil. Elle avait l'air émue.

Ma mère est la première personne à qui je me suis confiée après avoir craqué dans le parc. La première que j'ai mise au courant de mon mal-être et de mon besoin de changement. Nous avions passé des heures au téléphone. Le fait que je vive à l'étranger nous avait, étrangement, rapprochées – la distance aiguise les sens et ramène à l'essentiel.

Si acheter un condo n'était pas prévu dans mes plans, je ne l'avais pas fait sur un coup de tête pour autant. Je ne savais pas si je voulais me réinstaller à Montréal pour de bon, mais j'en avais assez de passer ma vie à l'hôtel. Et puisque Bombardier m'offrait un congé sans solde de deux ans, avec avantages et généreux bénéfices de vice-présidente inclus, sans conditions ni promesse de retour, j'en avais les moyens.

J'ai surtout craqué pour la vue imprenable sur la ville et la montagne, ainsi que pour la grande salle de gym au dernier étage – cela tombait bien, courir à l'extérieur par – 25 °C me faisant suer de peur. Le fait que je m'étais tout de suite sentie bien dans l'appart et que tout ou presque était inclus dans l'acte de vente (meubles, électro, déco, etc.) n'avait pas nui non plus. Finalement, je n'avais eu qu'à tourner la clef, pousser la porte, tirer ma valise à roulettes et déposer mon sac à dos sur la table de la cuisine pour être dans mon vrai premier chez-moi.

À force de déménager, j'avais aussi fini par adopter quelques rituels, par exemple accrocher au-dessus de mon bureau, d'appartement en appartement, un babillard où je punaisais des bouts de papier sur lesquels j'avais recopié des phrases et citations inspirantes amassées au hasard de mes balades et de mes lectures à Londres, à Paris, à Berlin, à Bruxelles. Mais cette fois, puisque j'étais vraiment chez moi, j'avais décidé de m'en trouver de nouvelles. C'était le projet parfait pour meubler mes après-midis pendant que mes proches travaillaient dans leurs grandes usines chics, où tout le monde était aligné sur le même horaire, faisant plus ou moins la même chose au même moment. Je ne les juge pas, j'étais pareille avant..

Les autres... Je ne m'étais pas attendue à leur réaction, et encore moins au mur d'incompréhension que susciterait ma décision. Nous avons même frôlé la catastrophe lors d'un cinq à sept entre anciens collègues, dans un resto-bar du quartier des affaires. L'ambiance avait d'abord été festive. Tout le monde parlait fort. Nous avons rapproché des tables. Tous semblaient curieux de savoir ce que je comptais faire à l'avenir. À les écouter, certains s'inquiétaient même pour moi. J'ai essayé de les rassurer et de leur dire que je n'étais vraiment pas à plaindre. J'étais même sur le point de leur donner les détails de mon entente avec Bombardier quand j'ai entendu l'un d'eux me lancer, sur un ton paternaliste :

— Tu te paies peut-être un beau *trip*, mais tu risques surtout de tout gâcher.

— Gâcher quoi ?

Il m'a regardée d'un air entendu.

— Tu sais très bien ce que je veux dire.

— Pas sûre.

Il ne voulait pas lâcher le morceau. J'avais l'impression d'être tombée dans un guet-apens.

— Et tu vas faire quoi, après, Hélène ?

— Après quoi ?

— Mais après tes vacances.

— Vivre mieux ?

Je n'ai pas dit ça par bravade – loin de là –, mais plutôt pour atténuer les tensions. Heureusement, ma réponse les a tous fait exploser de rire. J'en ai profité pour aller me chercher un verre au bar.

Les autres...

Quelque temps après, lors d'un brunch qui avait pourtant si bien démarré – la terrasse donnait sur un jardin fleuri et le service était impeccable –, alors que nous nous dépêchions de commander parce que mes copines avaient seulement une heure devant elles avant de devoir retourner au bureau, elles m'ont bombardée de questions, sans pour autant lâcher des yeux leur BlackBerry :

— J'ai entendu dire que tu avais tout lâché ?

— Tout lâché ?

— Arrêté de travailler.

— Je fais une pause.

— Aaah !

— De deux ans.

Elles se sont consultées du regard pour s'assurer d'avoir bien entendu.

— Deux ans ?

— Minimum.

Un silence inconfortable s'est installé entre nous.

— Tu vas en profiter pour te trouver un chum ?

— Peut-être bien.

Je n'étais pas contre l'idée. Sans ça, je ne me serais pas baladée avec les numéros de téléphone des deux hommes les plus marquants de ma vie dans la poche de mon jean depuis plus de trois jours : celui qui m'avait poinçonné le cœur lorsque j'étais jeune consultante, et celui qui avait été prêt à me suivre jusqu'à Berlin à mes débuts chez Bombardier.

— Et peut-être même trouver le père de tes enfants ?

— Je ne veux pas d'enfant.

— Hein ?

— Pas à date.

— Pas de travail. Pas d'enfant...

— Pas de prison.

Nous nous sommes quittées sur le trottoir en nous souhaitant bonne chance et en nous jurant de nous revoir. Je les ai regardées s'éloigner en papotant pendant que j'encaissais le coup. Je n'étais ni triste ni gaie.

Je me suis éloignée à mon tour. Au coin de la rue, un garçon aux cheveux verts grattait une guitare. Il était hors de question de laisser ce brunch raté assombrir mon humeur. Surtout que j'avais bien mieux à faire, à commencer par me trouver de nouvelles citations à accrocher à mon babillard et mettre la main sur ce livre qu'un collègue de travail m'avait conseillé de lire : *Le moine qui vendit sa Ferrari*.

J'ai lancé quelques pièces dans le chapeau du guitariste et j'ai repris ma route. J'ai remonté l'avenue vers le nord, le nez en l'air. Je pensais à tout et surtout à rien. Je flânais déjà depuis un bon moment lorsque je me suis retrouvée devant la librairie.

L'enseigne n'avait pas changé depuis l'époque où j'étais encore à l'université : « Neufs ou usagés ». La grande vitrine de sa devanture était toujours encombrée de montagnes de livres.

Je suis entrée sans dire bonjour. La fille derrière la caisse ne s'est quant à elle pas gênée pour m'interpeller.

— Allô !

Je me suis retournée lentement.

Elle portait de longues lulus rousses et de petites lunettes rondes. Son index pointait en direction d'une affiche collée sur le mur.

— C'est écrit... *Tout le monde* doit laisser son sac à l'accueil.

Elle avait le profil type d'une étudiante en création littéraire qui passait ses étés à lire *À la recherche du temps perdu* au chalet de ses parents.

Je lui ai tendu mon sac.

— Je peux vous aider ?

— Je cherche un livre.

Elle m'a souri. De cette fille se dégageait l'assurance propre aux enfants aimés d'un amour inconditionnel.

— Vous tombez bien.

— Je cherche *Le moine qui vendit sa Ferrari*.

Elle est partie vers le fond du magasin en zigzaguant entre des piles et des rangées de livres. J'avais l'impression d'être dans une grotte poussiéreuse. La fille s'est arrêtée devant un mur recouvert de livres au haut duquel se trouvait une affichette sur laquelle on avait écrit à la main « Psychopop ». Je l'ai regardée d'un œil curieux.

— Psychopop ? a-t-elle dit en haussant les épaules.

— Comment trouver les bons mots pour englober tout ça ?

Elle a laissé courir ses doigts sur les rebords de plusieurs étagères, où des étiquettes multicolores résumaient les différentes façons de voir le monde : spiritualité laïque, philosophie humaniste, pleine conscience... Les livres étaient classés par noms d'auteur.

— Il s'appelle comment, encore ?

— Robin Sharma.

— Voilà.

Elle en a attrapé deux exemplaires d'un coup.

— Neuf ou usagé ?

— Heu...

Elle m'a tendu le livre d'occasion.

— Autre chose ?

— Euh...

Mais elle avait déjà disparu.

On voyait sur la couverture du livre un beau brun drapé dans une toge comme le dalaï-lama, debout devant les croquis d'un temple à Bangalore et de l'*Empire State Building* à New York. Je me suis mise à le feuilleter. Ma récolte de belles phrases s'annonçait fructueuse.

« Tout d'abord, commencer à vivre dans la gloire de ton imagination, et non dans ta mémoire. »

La gloire de ton imagination.

J'ai levé les yeux vers cette chère affichette « psychopop ». J'adore ce genre de clins d'œil, qui nous rappellent de toujours prendre la vie avec un brin d'humour.

« Ne sous-estime jamais le pouvoir de la simplicité. »

Je suis ressortie de la grotte le sourire aux lèvres. À la caisse, la fille aux lulus était aux prises avec une cliente aussi élégante que coriace. La vieille dame était manifestement une habituée, qui avait surtout envie de jaser.

J'en ai profité pour laisser courir mes doigts sur les livres de poche et les bébelles inutiles disposées près des caisses pour nous faire dépenser davantage. Mon regard s'est arrêté sur la couverture d'un livre où l'on voyait la silhouette d'un homme face à un horizon où se confondaient la terre et le ciel. Accroupi, il avait les coudes sur ses genoux. Il avait l'air d'un Africain qui se questionnait sur l'immensité du paysage devant lui. J'ai attrapé un exemplaire de ce livre, intitulé *Cet Autre,* et je l'ai ouvert spontanément.

« Le concept de l'Autre, des Autres, peut être compris de différentes manières et employé dans des sens et des contextes divers... »

La vieille dame se tenait maintenant toute droite à côté du comptoir. Il ne restait plus qu'une seule personne entre la caisse et moi.

« Pour mieux se comprendre soi-même, il faut connaître les Autres. Pour connaître les Autres, il faut se mettre en route, aller jusqu'à eux, manifester le désir de les rencontrer. »

La fille aux lulus m'a redonné mon sac avant de scanner les codes à barres de mon *Moine* et de *Cet Autre*.

— Vous allez aimer Kapu...

— Kapu?

La vieille dame a opiné de la tête avant d'ajouter son grain de sel.

— Ryszard Kapuscinski.

— Aaah!

— Son nom est imprononçable, mais son regard est unique.

SERVIR

Le restaurant s'appelait le *Robin des Bois*. J'étais tombée sur son site internet par hasard, au cours de mes recherches sur le bénévolat. On y cherchait des volontaires pour travailler le midi ou le soir, en cuisine ou en salle. Ni engagement ni expérience n'étaient nécessaires. Les bénéfices étaient redistribués à des organismes de charité qui luttaient contre la pauvreté et l'isolement social.

J'ai débarqué à l'improviste au beau milieu d'un après-midi tranquille pour déposer ma candidature. La patronne était sur place. Nous avons discuté pendant un bon moment. J'ai éludé de mon mieux les questions sur mon passé, mais sans cacher mon manque total d'expérience en restauration. Elle m'a répliqué que c'était le cas de la majorité des bénévoles. J'ai ensuite insisté sur le fait que je n'étais disponible que les

midis et qu'il était hors de question pour moi de « travailler »
le soir ou le week-end.

— Autre chose ?

— Oui, je ne veux pas être en cuisine.

Elle a marqué un temps avant de me répondre. J'avais l'impression de me montrer un peu trop intransigeante.

— Pourquoi ?

— Pour nous éviter des catastrophes.

— Et tu peux commencer quand ?

— Demain.

Voilà comment je suis devenue serveuse.

Au *Robin des Bois*, j'ai fait la connaissance d'une clientèle composée d'habitués plus intéressés par mon état général que par mon statut professionnel. Et c'était pareil entre les bénévoles. Nous étions tous là pour une seule et même chose : aider et s'aider, d'une façon ou d'une autre.

Prendre un nouveau départ.

Je travaillais comme serveuse bénévole depuis grosso modo trois semaines quand mon frère Jean-Luc m'a invitée à un petit tête-à-tête. Il était arrivé pas mal de choses depuis notre dernière soirée. Bien assez pour que nos conversations se prolongent tard dans la nuit et que nous nous retrouvions chacun avachi sur un bout de divan après avoir débouché une énième bouteille. Bref, une séance de rattrapage s'imposait.

Au fil des années, nos soirées frère-sœur étaient devenues des rituels sacrés, et celle-ci n'a pas fait exception. Jean-Luc a étiré un bras pour trinquer. Je me suis redressée pour aller à sa rencontre.

— Tchin ! À ton sens de l'engagement !

— Tchin ! À ton soutien !

— Ça doit te changer de jouer à la serveuse ?

— Tu crois ?

Il n'y avait pas une once de jugement dans sa voix.

— Tu aimes vraiment ça ?

— J'aime plus les gens que leur apporter des assiettes.

— Ils sont comment?

— Différents.

— C'est-à-dire?

— Ouverts d'esprit, curieux de tout...

Je cherchais à la fois à trouver les bons mots et à éviter les clichés.

— Hier, j'ai servi un écrivain célèbre.

— Qui?

— Je ne sais pas. Un bel homme noir que tout le monde dans le restaurant a tout de suite reconnu parce qu'il était passé à la télé la veille. À les écouter, il venait souvent remplir ses cahiers au *Robin*. Et puis, avant-hier, j'ai servi un acteur connu.

— Tellement connu que tu ne le connais pas?

— Je n'ai pas de télé.

— Tu ne te souviens pas de son nom, par hasard?

J'ai haussé les épaules pour qu'il passe à autre chose.

— Tout ça pour dire que nos clients sont des curieux.

— Curieux dans le sens bizarre?

— Non, dans le sens qu'ils s'intéressent aux gens.

Jean-Luc s'est étiré comme un chat sur son divan. Il était déjà tard, mais nous ne travaillions ni l'un ni l'autre le lendemain. J'ai attrapé la bouteille.

— Encore un peu?

— Un petit peu.

Nous avons de nouveau levé nos verres pour trinquer à notre chance d'être ensemble. Il avait les yeux à demi fermés.

— Parle-moi encore de tes clients...

— Ils posent toutes sortes de questions, ils écoutent les réponses.

— Hein?

— Ils respectent même les opinions divergentes.

— C'est rare, ça.

Le *Robin des Bois* était entré dans ma vie au bon moment. En trois semaines, personne n'avait essayé de me mettre dans une case ou de me ramener sur le droit chemin. Je n'avais pas eu à me défendre de vouloir tout remettre en question. Le bénévolat m'avait aidée à assumer ma décision de me réinventer. Jean-Luc a baissé les lumières et allumé quelques bougies. Des petites flammes dansaient maintenant autour de nous.

— Je t'ai parlé de ma cliente avec les cheveux châtains jusqu'aux fesses?

— Pas encore.

— Celle qui travaille en musique et me bombarde de questions existentielles chaque fois que je m'approche de sa table?

Il m'a fait signe de continuer d'un geste de la main.

— Comment j'en suis arrivée à jouer à la serveuse, si je traverse une crise de milieu de vie, ce que je faisais avant, qui je cherche à aider, au juste, etc.

— Tu lui as répondu quoi?

— Que j'étais en train de réfléchir à ma vie.

— Elle t'a répondu quoi?

— Elle m'a félicité et souhaité bonne chance. Et puis, après un long silence, elle a ajouté en regardant dans le vide qu'il n'y avait pas beaucoup de gens qui prenaient le temps de réfléchir à la vie de nos jours.

— C'est tellement vrai.

— Évidemment, j'ai fini par tout lui raconter : le banc, le parc, la peur, les autres, le doute, le condo...

— Et elle a réagi comment?

— Elle m'a dit : « Ça a dû être dur de partir. »

Le jour se pointait à l'horizon. Mon frère cognait des clous. Mon cerveau bouillonnait. Le *Robin des Bois* m'avait permis de rencontrer des gens différents, qui ne plaquaient pas sur la vie les mêmes grilles d'analyse que mon entourage. Du jour au lendemain, je me retrouvais à côtoyer des âmes beaucoup plus disposées à s'intéresser à autrui que dans mon ancienne vie, et ça me faisait du bien.

Un bien énorme.

Mon frère ronronnait maintenant comme un matou. Les oiseaux gazouillaient dans son jardin.

— Jean-Luc?

— Présent!

— Pipi-dodo?

— Pipi-dodo.

Il s'est levé de peine et de misère avant de me faire un clin d'œil et de me dire de ne surtout rien ramasser.

— Demain, OK?

— OK.

J'adorais nos soirées. J'adore mon frère.

Il m'a félicitée une dernière fois avant de gravir les marches de l'escalier menant à sa chambre. Puis, avant d'y entrer, il s'est retourné et m'a demandé:

— Tu vas faire quoi de toute cette liberté?

— Trouver quelque chose qui me tient vraiment à cœur, et puis le faire à fond.

— Et en attendant?

— Je vais faire le chemin de Compostelle.

S'ÉGARER

L'idée n'était pas venue de moi. Sans vouloir rejeter la faute sur les autres, le principal responsable de ce que mon entourage considérait déjà comme une rechute, c'était le hasard. Pour ma défense, j'avais la tête ailleurs, occupée que j'étais à me voir déjà en Espagne en train de marcher sur le chemin de Compostelle. Je passais mes après-midis à feuilleter des magazines et à lire des guides de voyage. Je consultais des sites spécialisés sur le Web et je magasinais les chaussures et les sacs à dos. Je n'avais rien demandé à personne. Et je ne m'attendais absolument pas à recevoir un courriel de ce vieil ami consultant dont j'étais sans nouvelles depuis des lunes.

« Hélène, je t'écris sans savoir où tu en es rendue dans ta vie... Mais, si tu as envie de relever un nouveau défi... J'ai un client qui est à la recherche d'un ou d'une spécialiste en optimisation des opérations... »

L'ami m'expliquait que son client – un fabricant de simulateurs de vol, aussi spécialisé dans la formation des pilotes d'avion – venait de traverser une période d'expansion sans précédent et qu'il subissait maintenant les inévitables contrecoups d'une croissance trop rapide. En d'autres mots, il était victime de son succès. Il faut savoir que, aussi positives que les acquisitions puissent paraître aux yeux des investisseurs, ce sont souvent de véritables cauchemars logistiques pour les cadres intermédiaires et supérieurs chargés de fusionner les différentes cultures d'entreprise.

« Je leur ai pas mal parlé de toi... Tu serais la candidate idéale... Le président de leur division services aimerait bien te rencontrer... Ça ne t'engage à rien, bien évidemment ! »

Évidemment.

Ça ne m'engageait à rien, mais je ne pensais plus qu'à ça ! Au point de tourner et me retourner dans mon lit jusque tard dans la nuit. Au point de me précipiter sur mon ordinateur dès le petit matin pour répondre à mon ami.

Sept jours plus tard, je me suis donc présentée à une « rencontre exploratoire ». J'avais beau afficher un calme olympien, ma curiosité naturelle et mon amour des nouveaux défis me retournaient l'estomac.

Dans l'ascenseur qui montait, j'ai tenté de dresser un mini-bilan. J'étais de retour à Montréal depuis un peu moins de six mois. Je m'étais affranchie de nombreuses contraintes sociales et j'avais retrouvé mon aplomb habituel. Je me sentais en forme et bien dans ma tête, et tout ça me donnait envie de bouger à nouveau.

Ça m'a fait un peu bizarre de suivre une assistante administrative et de me retrouver dans une copie conforme de mon ancien bureau de Bruxelles, mais je me suis ressaisie juste à temps pour échanger une vigoureuse poignée de main avec l'homme qui ne m'engageait à rien, mais dont la prestance m'a agréablement surprise. Une fois les politesses d'usage passées, il m'a résumé les défis et problèmes, tant conceptuels que méthodologiques, auxquels son entreprise était désormais confrontée.

Mon taux d'adrénaline grimpait au fur et à mesure qu'il m'expliquait le fonctionnement de sa compagnie : elle était scindée en deux divisions complémentaires, la première fabriquant des simulateurs de vol, la seconde offrant de la formation aux pilotes de ligne. Il voulait restructurer de fond en comble la deuxième, et, pour ce faire, il cherchait la perle rare. Comme j'avais fait mes devoirs, je savais que les dernières vagues de fusions et d'acquisitions avaient fait de cette deuxième division une grappe d'éléments disparates qui, en l'absence de procédures compatibles et de structures communes, fonctionnaient en silos, au lieu de travailler main dans la main.

Plus j'écoutais mon interlocuteur, plus je prenais conscience de l'ampleur du défi. Plus il me parlait de ses problèmes, plus je voyais de solutions et plus l'idée de développer de nouveaux protocoles et de nouvelles procédures pour maximiser la formation de ses clients éveillait ma passion. La double dimension tactique et stratégique m'attirait. Un peu plus et j'entendais la musique de *Mission impossible* résonner dans mes oreilles.

J'ai accepté la mission.

Mon contrat a commencé le 1er août 2007. J'avais signé pour un an, le temps de bien restructurer la division. Dans mon élan, j'ai enfilé des lunettes roses. On m'avait donné carte blanche, mais une restructuration est une opération à la fois délicate et douloureuse, qui implique de rompre avec les vieilles habitudes. Je m'étais fait la promesse de ne pas couper dans les budgets, mais faire le ménage coûte cher et les marges de manœuvre fondent comme neige au soleil quand il faut toujours faire plus avec moins.

Toujours plus, même quand l'argent coule à flots et que les coffres sont pleins. Toujours plus, même quand le prix de l'action brille au zénith. Toujours plus avec moins.

Je n'ai même pas vu les mâchoires du piège se refermer sur moi.

Deux de mes employés se sont retrouvés en *burn-out* après ma prise de fonction. Deux en quatre mois. À ce rythme-là, je risquais d'en laisser quatre autres sur le carreau d'ici la fin de mon contrat. Combien devais-je encore en envoyer au tapis avant d'ouvrir les yeux?

Flouée par mon propre orgueil, je me retrouvais face au même genre de dilemme que chez Bombardier. J'avais rêvé d'un nouveau défi et je me retrouvais dans le même vieux cauchemar.

Je filais un mauvais coton depuis plusieurs semaines déjà. Mon dos me faisait mal. Mes nuits étaient agitées et rarement réparatrices. Je ressentais un urgent besoin de parler et de me vider le cœur. J'ai téléphoné à ma mère, mais je suis tombée sur son répondeur. Pour la peine, j'ai appelé mon frère. Jean-Luc suivait les hauts et les bas de ma rechute depuis le Jour 1. Il faut dire qu'il avait flairé le guet-apens. Dès qu'il a entendu ma voix, il m'a dit de rappliquer au plus vite. J'étais dans tous mes états. Je n'avais pas franchi la porte de chez lui que je m'épanchais déjà.

— Je ne veux plus perdre ma vie à essayer de la gagner!

— Ça s'appelle... le travail.

Jean-Luc connaissait mon obsession quasi maladive de la performance. Il ne pouvait pas croire que j'en étais rendue à vouloir jeter l'éponge.

— Je mène les gens au *burn-out*.

— Tu n'exerces aucun contrôle sur la santé des travailleurs.

— Je me sens sur une mauvaise pente.

— Laisse le temps au temps.

— Ma décision est prise.

— Tu dis toujours de ne jamais agir sur un coup de tête.

— C'est déjà tout réfléchi.

J'avais pris ma décision la veille, en sortant de l'épicerie. Je venais de passer un savon à la caissière pour rien, ou presque:

elle avait *scanné* deux fois mon pot de yaourt parce qu'elle parlait de son nouveau tatouage avec sa mère au téléphone. Ma décision était prise. Ce n'était pas la première fois que j'explosais en public pour un rien. J'avais déjà été odieuse avec un chauffeur de taxi, deux jours plus tôt, et, la semaine précédente, j'avais failli étriper l'une de mes meilleures employées.

Je connaissais ces symptômes. Je détectais les signes avant-coureurs. C'était à moi de réagir. À moi d'accepter mon erreur et d'en assumer l'entière responsabilité. Mais mon frère n'avait pas l'air aussi convaincu.

— C'est déjà tout réfléchi?

— Oui, je vais aller au bout de mon contrat, et puis, basta!

— Comme une vraie pro?

— Pour tenir parole.

J'ai continué à me donner sans compter jusqu'à la dernière semaine, puis j'ai téléphoné à mon patron pour lui annoncer que je ne renouvelais pas mon contrat. Il a eu l'air surpris, mais j'étais en paix avec moi-même. J'avais rempli mes engagements et assumé mes responsabilités, même si j'avais réalisé en cours de route avoir commis une erreur en acceptant le poste. J'avais tenu parole. Il était inutile de s'attarder sur le sujet. Une fois l'effet de surprise passé, ma dernière conversation avec mon patron s'est donc résumée à l'échange d'un « pourquoi? » et d'un « parce que ».

DÉBOUSSOLÉE

J'ai beau retourner l'affaire dans tous les sens, il me reste cette impression générale d'avoir perdu une année. Bien sûr, la fatigue et la lassitude que j'éprouvais contribuent à noircir le tableau, mais le fait de me retrouver à la case départ, dix-huit mois plus tard, est vraiment décourageant. En cette journée du 8 août 2008, j'ai l'impression de toucher le fond. Alors que...

Taratata!

Joyeux anniversaire, ma belle!

Trente-huit ans.

Taratata ?

Non. Pas besoin de fanfare ou de trompettes.

Mon estomac gargouille. Je n'ai pas mangé depuis hier. Il faut quand même assurer un minimum. Je prends mon courage à deux mains. Je marche jusqu'au café du coin. L'endroit est à moitié vide. Je commande un double expresso et un litre d'eau pétillante.

Je sirote mon café entre deux gorgées d'eau. Me voici de retour à la case départ à 38 ans. Une question surgit. Comment trouver sa voie à l'aube de ses 40 ans, quand on n'éprouve aucun regret, mais qu'on ressent le besoin de passer à autre chose ? Bouger. Rester en mouvement. Provoquer le destin. Mais où ? Et surtout comment ? J'attrape le journal sur la table d'à côté pour me changer les idées.

À la une, une grande photo de la cérémonie d'ouverture des Jeux olympiques de Pékin. Page 7 : un article sur une manifestation houleuse d'ostréiculteurs français affectés par le « nouveau mal de l'huître ». Page 12 : un autobus bondé de pèlerins catholiques d'origine vietnamienne est tombé dans un ravin au Texas. Selon les détails connus au moment de mettre sous presse, l'autobus a heurté le garde-fou d'un pont, avant de plonger dans le vide, à deux pas de la frontière avec le Mexique. Bilan provisoire : une douzaine de morts et trois dizaines de blessés. J'ai relu l'article pour tenter de comprendre les raisons de la catastrophe, et cela m'a rappelé un vieux dicton de ma grand-mère : « C'est écrit dans le Grand Livre. »

Ma grand-mère faisait souvent référence au « Grand Livre » lorsqu'elle se retrouvait devant l'inexplicable. Tout comme ma mère, elle était à la fois croyante, pratiquante et ouverte d'esprit. Elles étaient toutes les deux des sources d'inspiration importantes pour moi.

Le Grand Livre...

Quelqu'un quelque part pourrait-il m'aider à mettre la main sur le mien ?

Devant une montagne de doutes et une montagne de possibilités, la question demeure : comment se créer une nouvelle
vie à partir de rien, et sans renier son passé ?

Je consulte le menu. Je ne sais pas trop quoi manger. La
serveuse s'arrête trois fois à ma table avant que je me décide
à commander une salade de fruits. Elle a l'air découragée, la
pauvre. Des enfants font de la trottinette sur le trottoir sous
l'œil émerveillé de leur papa. La serveuse revient avec mon
plat.

— Bon appétit.

— Merci.

Je pique de ma fourchette une grosse fraise mûre qui trône
au milieu de mon assiette. Bouchée par bouchée, je viens à
bout de ma salade de fruits. Gorgée par gorgée, je vide mon
litre d'eau pétillante. Page par page, je feuillette le journal, et
tombe soudain sur un article à propos d'une hygiéniste den-
taire de Québec qui distribue des brosses à dents en Afrique
de l'Ouest.

Des brosses à dents en Afrique ?

L'article éveille quelque chose en moi. Sous la photo du
journaliste, il y a son adresse courriel. Je la recopie sur une serviette de papier. L'homme ressemble au père Noël, malgré son
pull de marin breton. Je fais signe à la serveuse de m'apporter
l'addition.

Des brosses à dents en Afrique...

Je rentre et j'écris aussitôt un mot au journaliste pour lui
demander les coordonnées de sa Québécoise aux brosses à
dents.

Elle s'appelait Sylvie Potvin, et je lui ai téléphoné dès que j'ai
réussi à mettre la main sur ses coordonnées, c'est-à-dire le
lendemain midi. Mes doigts tremblaient en composant son
numéro.

— Allô ?

— Allô.

D'entrée de jeu, elle a été d'une très grande gentillesse. D'une grande patience aussi. Je l'ai appelée spontanément pour la bombarder de questions sur l'Afrique, et elle est restée d'une politesse absolue. Je sautais du coq à l'âne. Je devais avoir l'air d'une fille au bord de la crise de nerfs. Je lui téléphonais pour lui demander conseil, mais je ne la laissais pas parler.

— Je suis prête à tout. Je suis libre comme l'air. Je n'ai pas d'enfant. Pas de vie de couple. Pas de soucis d'argent. Ma retraite est assurée...

J'étais fébrile. Je partais un peu dans tous les sens. Elle m'a patiemment laissée vider mon sac avant de m'interrompre sur un ton calme, mais ferme, pour me poser une question toute simple.

— Au fond, que cherches-tu ?

— Euh... Pas sûre.

— Et après ?

— Qu'il est possible de changer de vie, sans tout lâcher !

— C'est possible.

Nous avons parlé pendant presque deux heures. Du chemin de Compostelle, pour commencer, qu'elle avait déjà fait et qui lui avait fait un grand bien. Puis de l'Afrique.

— Je ne vais tout de même pas débarquer en Afrique avec une pelle et demander aux gens comment les aider, non ?

— Et pourquoi pas ?

Elle m'a raconté son histoire de brosses à dents et ses voyages en Afrique de l'Ouest avant d'en arriver à me parler de Maman Nicole, une Canadienne qui s'occupait d'un centre d'aide destiné aux veuves et aux orphelins du génocide des Tutsis au Rwanda.

— Au Rwanda ?

— À Kigali.

— Et elle cherche de l'aide ?

— Maman Nicole a toujours besoin d'aide.

Elle m'a refilé le courriel de Maman Nicole, ainsi qu'une longue liste de conseils et d'erreurs à éviter une fois là-bas. Je l'ai remerciée de tout mon cœur avant de raccrocher pour de bon, et de m'asseoir à mon bureau. Pour me remettre de mes émotions. Parce que ce coup de fil allait peut-être m'aider à décider comment partir pour l'Afrique. En relevant la tête, je suis tombée sur cette vieille phrase d'Hector Berlioz affichée sur mon babillard : « La chance d'avoir du talent ne suffit pas ; il faut encore le talent d'avoir de la chance. »

Chance ou talent, j'ai tout de suite écrit à Maman Nicole pour tâter le terrain. Après un long échange franchement sympathique, elle s'est dite prête à m'accueillir, mais à partir de janvier seulement, soit quatre mois plus tard. Pour la raison qu'elle s'apprêtait à venir au Canada en décembre dans le cadre de sa campagne de financement annuelle.

Sans le savoir, Maman Nicole venait de résoudre mon dilemme de voyageuse. Puisqu'il fallait attendre jusqu'à janvier avant de partir au Rwanda, je n'avais plus vraiment d'autre choix que d'aller me faire les dents sur le chemin de Compostelle.

Je me suis accordé trois semaines pour me préparer à parcourir les quelque 800 kilomètres qui séparent Saint-Jean-Pied-de-Port de Saint-Jacques-de-Compostelle. Trois semaines pour faire le deuil de mon année perdue. Semaine un : organisation logistique, réactivation musculaire et cérébrale. Semaine deux : préparation, achat et assemblage du kit de marcheur. Semaine trois : test du matériel, vérification des bagages, derniers détails.

J'ai préparé mon voyage comme une grande, sans rien demander à personne, et les trois semaines sont passées en coup de vent. Je ne ressentais aucun besoin de parler de mon voyage. C'était une affaire entre moi et moi. Je n'avais pas envie de m'expliquer à qui que ce soit et encore moins de m'inventer une quête spirituelle. Je n'allais pas parcourir le *Camino Frances* en quête d'une solution magique. Je ne m'attendais à aucun miracle. Je n'espérais pas y croiser le Bon Dieu. Je voulais simplement me vider la cervelle.

Je me suis arrêtée chez ma mère la veille de mon départ pour lui annoncer la nouvelle. J'avais bien prévu sa réaction. Elle avait l'air à la fois heureuse et soulagée pour moi.

— Tu vas où?

— Marcher Compostelle.

— Pour de vrai?

— Pourquoi pas?

— Tu pars quand?

— Je prends l'avion demain soir.

— Tu vas tenir un journal de bord, j'espère?

— Le journal intime d'une pèlerine.

— Avec plein de détails croustillants?

— Mets-en!

Ma mère s'est approchée pour faire un signe de croix avec son pouce sur mon front.

— Tu vas être une pèlerine, ma fille?

— Oui, maman.

Journal de Compostelle

Automne 2008

MARDI 2 SEPTEMBRE

Allez, go!

Arrivée à l'aéroport de Paris-Charles-de-Gaulle à 8 h 30.

Aucun retard.

Température: pluie, 16 °C.

Bagage: OK.

Premier retrait: 200 € (340 $).

Train de Paris-Montparnasse à Saint-Jean-Pied-de-Port (Sud-Ouest).

Suicide à la gare. Perturbations. Ouf! Le mien n'a que 15 minutes de retard.

Enfin en route vers le Sud-Ouest.

Train super confortable (*vive la première classe!*).

Lecture: *Le moine qui vendit sa Ferrari.*

La campagne défile à toute vitesse à travers la fenêtre.

Je bois une bière à 300 km/h. Inspirant. Spirituel.

Changement à Bayonne. Je prends place à côté d'un Français qui sent le *swing*: dégueu! Arrivée à Saint-Jean-Pied-de-Port. C'est la folie. Tous les gîtes sont complets. Les hôtels aussi. Coup de chance: un Français avec un lit à deux places dans sa chambre propose à une autre fille et moi de partager son lit.

Welcome to Compostelle!

Le proprio de l'auberge est cinglé. Il m'ordonne de ne pas me doucher.

Mon petit caractère sort vite!

Je ne me douche pas. Je sors souper à 20 h 30.

Petit resto très sympa. Petite cour. Terrasse en arrière. Jolie.

Rentre à 21 h 30. Retour dans la chambre.

Tout le monde dort! L'homme et la femme.

Première nuit sur le Chemin? Dans un lit avec deux inconnus.

Nuit pas terrible. *Jetlag.*

Goodbye intimité et confort. *Welcome* à la vie en commune (et camping)!

Niveau de qualité du gîte: zéro.

¡ *Bienvenidos en el Camino!*

Dépenses du jour: 15 € bus, 15 € bouffe, plus 1/3 de chambre.

Mercredi 3 septembre

En route vers... Roncesvalles.

Traversée de la frontière entre la France et l'Espagne.

Départ: 7 h 45. Infos parcours: 27 km.

Altitude moyenne, 1200 mètres. Température: nuages, soleil, 27 °C.

Montée, montée, montée... descente de 5 km à la fin.

Auto *check-up*: ampoule à un orteil, un peu mal à une hanche.

Heures de marche: 6 heures 45 minutes.

Qualité du gîte: inconnue. Il était fermé à mon arrivée (14 h 20).

Mot sur la porte: « *Abierto a las 16 h 00.* »

Stampede à l'ouverture: 100 femmes, 2 douches. Besoin de réduire le poids de mon sac qui pèse 7,2 kg, soit 16 lb (15 % de mon poids, contre 10 % comme le dit le *Guide de randonnée*). À la poubelle: éponge, pantalon de pluie, chandail, chaussettes, brassière, ceinture, coupe-ongles, assiette...

Même *Le moine qui vendit sa Ferrari* est trop lourd. Déchiré et arraché plus de la moitié des pages. Comme a dit le copain qui me l'a conseillé: « Toujours se concentrer sur l'essentiel. »

Acheté noix et oranges pour demain.

Rencontres : Suisses, Français, Australiens, Japonais, Autrichiens, Allemands...

Dortoir : 200 lits + bain de foule et vie de commune.

Dodo : 20 h 30.

Dépenses : environ 25,50 € (plus 7,50 € carte d'appel).

Jeudi 4 septembre

En route vers... *Trinidad de Arre.*

Lever : 6 h 30.

Température : nuageux, un peu de pluie. Matin frais (10 °C). Fin de journée ensoleillée (25 °C).

Départ : 7 h 05 (à la noirceur).

Info parcours : 37 km. Montées, descentes, terrains plats.

Trop de monde. Pensé plusieurs fois à m'arrêter en cours de route pour me distancer de la foule, mais j'ai fini par continuer. Très grosse journée.

Heures de marche : 8 heures 30 minutes.

Check-up santé : poignet droit sensible, jambes et pieds fatigués, hanches et épaules à vif.

Coup de chance à l'arrivée : j'attrape le dernier lit (sur 25) dans une merveilleuse église-gîte.

Très propre. Premier lavage du voyage.

Chemin occupé au départ, et puis très paisible.

Ce midi : noix et fruits.

Possibilité de manger au village, mais j'ai préféré aller faire les courses pour la première fois (crevettes, salade, pain, bières = 6 €).

Visite du village. Super typique. Pas trop de pèlerins.

Décision d'alléger mon sac : excellente.

Hier, je me suis payé 20 minutes d'Internet pour prendre mes courriels pour la première fois. Bingo ! Message touchant de Tony, mon complice et bon ami de chez CAE. Le premier à avoir compris pourquoi j'ai voulu ne pas renouveler mon mandat. Je dois lui recommander *Le moine qui vendit sa Ferrari.*

Souper à l'auberge. Moins tranquille que prévu, mais bon.

Dépenses : 5 € + 6 € + 10 € = 21 € et couchée à 21 h 30.

VENDREDI 5 SEPTEMBRE

Trinidad de Arre – Uterga

Départ : 8 h 30. Arrivée à Uterga à 15 heures.

Température : 19 °C en journée. 27 °C en soirée.

Distance : 22 km en plus ou moins 5 heures.

TRÈS venteux (grand parc d'éoliennes). Je souffre. Les 40 km d'hier me rentrent dans le corps, et je dors 3-4 heures par nuit parce que ça roule, ça bouge, ça ronfle...

Traversé Pampelune (bien, sans plus, car tôt le matin et tout est fermé). Hier soir, j'ai compris que je n'avais pas à envoyer des nouvelles de moi chaque jour. Pourquoi ce besoin d'informer *tout le monde*?

Fin de journée. Visite village. Internet 1 heure. Demain, je dois acheter des anti-inflammatoires.

Petit gîte en montagne, très sympa.

Dépenses :
Jour : 15 €, gîte : 10 €, souper : 12 € = 37 €.

Dodo : 20 h 30.

SAMEDI 6 SEPTEMBRE

Uterga – Estella

Yesss! Dormi presque 6 heures.

Départ à 8 heures. 19 °C au début, au soleil environ 25 °C, distance : environ 31 km en 7 heures. Très joli parcours dans les vignobles de Navarra. Pas trop de monde. Arrivée à Estella à environ 16 h 45.

Pris une chambre en « pension » SEULE! Pour 20 €! Pas de vie en commun ce soir... La grosse vie sale et je me paie la traite à la « *plaza* » et même au meilleur resto de la place.

Pas un pèlerin en vue. Pas d'estampe, mais je m'en fous. Dans ma bulle. TRÈS fatiguée. J'espère faire la grasse matinée et enfin arriver à me « vider » après plus d'une semaine !

Demain : ACHETER anti-inflammatoires ! Poignet droit *kaput*, pas capable d'écrire. Bosse au pied gauche, jambes très raides. OK pour plat ou montée, mais descente très pénible. J'ai aussi les cuisses pleines de picots rouges (réaction à un genre d'herbe à puces ?). À voir demain !

Internet gratuit dans un bar à tapas. Tony me suit toujours à travers mes courriels. Il est un super ami spirituel que je découvre de plus en plus. Je suis vraiment bien, malgré la douleur physique. Je crois que j'aime « m'évader » du chemin de temps à autre pour vivre ceci et me ressourcer.

Aujourd'hui, ça fait plus de deux mois que je ne travaille plus, que je n'ai plus de cartes d'affaires et je ne m'en ennuie pas 30 secondes.

On dit que c'est dans l'échec qu'on se définit soi-même.

Avais-je jusqu'ici manqué d'échecs ?

J'ai rencontré un homme de 95 ans qui fait le chemin pour la 8e fois.

J'oubliais : ce matin (10 heures), je m'arrête dans un café. Deux hommes costauds. Gros déjeuner : œuf, bacon, patates... Avec du vin, puis un café-cognac !

Souper GIGANTESQUE. (Vin gratis. Je suis saoule et *full*!)

Dépenses :
Jour + apéro : 15 €, pension : 20 €, souper : 25 € = 60 €.

DIMANCHE 7 SEPTEMBRE

Estella – Los Arcos

Départ d'Estella : 10 heures (22 km à marcher). Soleil terrible en plein champ (32 °C). Main droite *kaput* ! Pas capable d'écrire. Dois voir un médecin.

Premier vrai lavage (avec machine 5 €, avec séchage).

Bon souper, mais trop.

Dépenses :

Journée : 10 €, gîte : 10 €, souper : 17 € = 37 €.

Dodo : 21 h 30

LUNDI 8 SEPTEMBRE

Los Arcos – Logroño

Départ : 7 h 45.

Belle journée ensoleillée. 15 °C le matin, 31 °C en après-midi.

Un peu marché avec un fonctionnaire français de 45 ans (Philippe), frustré et *full* négatif par rapport à sa job. *Full* étourdissant.

Ne pas oublier d'envoyer un courriel à mon amie Judy (*Robin des Bois*).

Je pense beaucoup à la question de mon frère Jean-Luc : « Au fond, que cherches-tu ? » Demain, je marcherai seule (si possible) en tentant de trouver une réponse.

Le gîte est très « bof » : 88 personnes, douches DÉGUEU et FRETTES ! Mais ça coûte 3 €, Internet compris !

Presque 20 heures : J'ai faim ! Que des locaux, pas de touristes pèlerins, la vie est belle. Je me rends compte que la vie de commune ne me va pas du tout. Je suis solitaire et nomade dans l'âme. Demain, ça va faire sept jours que je marche. 200 km. Comme faire Montréal-Ottawa à pied.

Dodo : 21 h 30.

MARDI 9 SEPTEMBRE

Logroño – Nájera

Très bien dormi la nuit dernière, avec bouchons !

Marché 31 km. Tout le monde a des ampoules, sauf moi.

Encore trop mal à la main pour écrire.

Je m'endors en lisant *Le moine qui vendit sa Ferrari*.

La liste des questions est longue...

MERCREDI 10 SEPTEMBRE

Nájera – Castildelgado

Départ : 8 heures. Environ 9 heures 30 minutes de marche sous une chaleur écrasante (32 °C), mais j'ai fait mes 33 km (les deux derniers à contrecœur ; le gîte où je voulais m'arrêter affichait complet).

Je me suis loué une chambre à *l'hostel*... avec douche et eau chaude ! Ma propre salle de bain, mon propre lit !

Le souper est seulement à 21 heures, mais je vais tenir.

J'ai encore croisé Philippe (le Français négatif). Il n'ose pas trop m'aborder. Je pense même qu'il a un peu peur de moi. Je lui ai dit hier que je trouvais son pessimisme inacceptable pour un gars de 45 ans. Il en veut à mort à la fonction publique, mais il choisit d'y rester encore quinze ans pour avoir droit à sa pension de retraite.

Très belle conversation avec le monsieur de 95 ans. Belle philosophie de vie, belle détermination. Il boit ses *vino tintos* (2-3 verres). Pas de problème...

Et moi ? Madame de 38 ans, premier Compostelle, sauvage et solitaire, constipée depuis des jours et un poignet *kaput*... J'ai hâte de la trouver, ma philosophie de vie.

Il est finalement 21 heures. Je soupe entourée d'une gang de *truckers*. J'ai échangé 8 minutes d'Internet contre une cigarette avant d'aller me coucher. J'ai fait des rêves terribles.

JEUDI 11 SEPTEMBRE

Castildelgado – Villafranca Montes de Oca

Je réalise en me réveillant qu'on est le 11 septembre (sept ans après le 11 septembre 2001).

Petite journée. Peu d'énergie.

Après trois heures de marche : mes premières ampoules. Je souffre, mais je continue. Je rencontre Sarah, une Anglaise de 51 ans qui vit en Australie. Ma première rencontre significative. À suivre, je ne peux plus écrire avec cette main.

VENDREDI 12 SEPTEMBRE

Ma main va vraiment mal. Sarah m'encourage à aller à l'hôpital de Burgos. Elle me propose de m'accompagner (en bus, 25 km). Sa générosité me touche. Je ne sais pas accepter l'aide des autres. Sarah est prête à sacrifier une journée pour aider une inconnue ? Pour m'aider moi ? J'accepte finalement son offre.

J'en suis bouleversée.

Le bus a pris plus de temps à se rendre à l'hôpital que le médecin à faire son diagnostic : tendinite aiguë.

Bras en bandoulière et attelle en métal.

Sacré apprentissage. Magnifique soirée à Burgos avec Sarah.

SAMEDI 13 SEPTEMBRE

Début de journée pénible. Il fait 5 °C, mon bras va mieux, mes pieds vont mal. Couple de Français. Beaux paysages. Très bel après-midi. 31 km de marche avec ampoules.

J'appelle maman et ça me fait du bien. Elle est en forme, c'est l'important.

Je soupe avec un couple d'Espagnols très gentils. Dans la nuit, une Autrichienne s'est fait piquer. Réaction allergique féroce. Partie en ambulance.

DIMANCHE 14 SEPTEMBRE

Toujours très froid la nuit et le matin. La beauté des paysages me libère l'esprit. Je fais le vide en passant devant des troupeaux de vaches. Leur odeur me donne des sueurs, mais ça, c'est une autre histoire... À table avec un prêtre qui a le cancer de la gorge, nous échangeons par écrit. Main *kaput*.

Ma réaction à l'herbe à puces me fatigue toujours autant.

LUNDI 15 SEPTEMBRE

Un prêtre polonais (42 ans) rencontré il y a deux jours m'a proposé de le rejoindre à León pour quelques jours. Belle offre. Est-ce que je me fais *cruiser* par un beau prêtre polonais ? Est-ce que j'ai *cruisé* un beau prêtre polonais ? Je décide de prendre une journée de repos. Je préfère aller voir un médecin à la place. Pour tous mes bobos.

Je loue une chambre à Cortes pour deux nuits. Le village est très joli. Je passe une belle soirée au resto de l'hôtel avec trois Espagnols. Mes nerfs me lâchent. On se met tous à parler de flatulences. De celles des vaches, des nôtres aussi : les carnivores autant que les végétariens. On rit comme des fous... Pipi-caca-fatigue. Vive l'Espagne !

MARDI 16 SEPTEMBRE

Burgos – Carrión de los Condes

Le résumé des cinq derniers jours ci-dessus, en fait je l'ai écrit aujourd'hui, comme ceci. Trop mal pour le faire avant.

Marche : 114 km.

Je vais mieux, donc.

MERCREDI 17 SEPTEMBRE

Zéro km !

Réveil à 6 h 45. Je ne me sens pas bien du tout. Je vais chercher mon linge sur la corde. Je retourne à ma chambre. Mal de cœur, ventre, genre d'indigestion, mal de tête, fatiguée, sans forces ! Je me recouche.

Vers 10 h 30, je me décide à prendre une autre journée de repos, mon corps ne suit plus.

13 h 30, je me sens un peu mieux. J'essaie de manger un peu (fruits, légumes, granola), avant de prendre une marche le long de la rivière. C'est très beau.

Je m'arrête dans un café vers 15 h 30.

Belle surprise. Sarah est là. Notre petite jasette me redonne des forces. Je fais quelques courses avant de retourner manger à ma chambre. J'enlève le bandage de mon bras encore fragile. Je devrai être prudente. Enfin une douche complète (après cinq jours) rasage, crémage, etc.

Mes pieds vont mieux. Au café, un Anglais me suggère de mettre de la Vaseline, tout simplement.

Je vais changer de diète quelques jours pour me remettre, j'ai abusé. Trop de bouffe et trop de vin. Je dois me modérer.

JEUDI 18 SEPTEMBRE

Carrión de los Condes – Terradillos de los Templarios

Réveil: 6 h 30 (rêves bizarres). *On the road again!*

La Vaseline, ça marche! Je ne mets plus rien d'autre avec mes sandales.

Mon bras enfle à nouveau. La tendinite est mauvaise. Pas trop d'écriture ce soir.

Belle auberge, chanteur à la guitare, très agréable.

Ce sera un... *early night.*

Fin de soirée sur la toilette: tempête et vents violents.

20 h 30 au lit.

VENDREDI 19 SEPTEMBRE

Terradillos – El Burgos Ranero

Réveil tard (7 heures), mais ça va mieux.

Je revois Sarah. Je marche un peu avec elle et ses amis. On discute avant l'étape du midi dans une ville sans intérêt. Sarah s'arrête pour manger avec ses amis. Je préfère continuer. Je me rends compte que j'aime faire de courtes rencontres, mais que me « lier » à des personnes me tanne.

Je marche seule tout l'après-midi. Ça me fait du bien.

Ils annoncent des orages pour la nuit.

Samedi 20 septembre

El Burgos Ranero – Mansilla de las Mulas, 20 km.

Encore une belle journée (pas trop chaude). Nouvelles ampoules. Je m'arrête après cinq heures (20 km) dans un beau village : Mansilla de las Mulas.

Je suis dans un petit bar. Il y a du foot à la télé et bien trop de pèlerins. Je dois prendre mes distances – les chemins moins fréquentés : le nouveau thème de ma vie ?

Penser à répondre à Maman Nicole pour préparer mon séjour au Rwanda.

Dodo : 21 h 30.

Dimanche 21 septembre

Mansilla de las Mulas – Virgen del Camino, 27 km.

Aujourd'hui, j'ai pensé à Annie, mon amie d'enfance morte à 17 ans. Je marche en lui parlant à voix haute sur le Chemin. Penser à envoyer une carte postale à sa mère. J'aimerais bien un jour faire Compostelle avec ma sœur ou maman.

À l'arrivée, l'hôte du gîte me refait mon bandage au bras et même un massage de pieds pendant que je regarde le tennis. Que demander de plus ?

J'appelle Jean-Luc et maman, mais pas de réponse, aux deux places.

Lundi 22 septembre

Virgen del Camino – Hospital de Órbigo

Plus ou moins 28 km sous la pluie. À ma grande surprise, j'aime l'expérience.

Au moment où une lueur de soleil se pointe, j'y vois Grand-Maman Annette et je repense à ce qu'elle m'avait écrit sur une carte de fête avec une licorne qui vole : « Toujours plus haut, toujours plus loin ! » C'est la première fois que je pense à elle depuis mon départ. Soudain, je sens qu'elle fait la route avec moi, elle me protège. Je lui parle et lui promets de tout lui raconter quand j'irai la rejoindre.

Bizarre. Hier, Annie, aujourd'hui, Grand-Maman. Mes deux anges, ces deux êtres si chers à mes yeux qui sont là-haut. Elles sont aussi toutes les deux à Compostelle avec moi. Bonne décision, ce pèlerinage. Bonne idée, cette sabbatique.

Je m'arrête avant le souper dans un autre bar local. J'aime trop ça, je vais m'en ennuyer à la fin.

Je soupe au gîte avec trois Suisses, deux Allemandes et un Danois très religieux qui ont déjà parcouru plus de 1500 km! Un peu trop de *vino*. J'ai fini la soirée avec le Danois.

MARDI 23 SEPTEMBRE

Hospital de Órbigo – Astorga, 18 km.

Lever à 6 h 45. Nuageux.

Le Danois me dit que le monsieur de 95 ans à la belle philosophie de vie est arrivé à Santiago hier.

Petite journée.

Je veux relaxer et visiter Astorga, très belle sous le soleil. Je me suis acheté des gants et un *polar* pour le froid de la *Galicia.*

J'achète une carte postale pour la maman d'Annie. Je ne sais pas qu'elle sera sa réaction, mais je me devais de le faire. Je me devais de lui raconter que j'ai marché sur le Chemin avec sa fille.

Je me loue une chambre pour 46 euros. Je prends un bain, me rase, me coupe les ongles. Je mange au resto pour la première fois depuis cinq jours.

Internet: Tony me rassure. Il m'écrit que parler aux morts n'a rien d'anormal.

« On le fait tous dans nos rêves. »

MERCREDI 24 SEPTEMBRE

Astorga – Rabanal del Camino

Grande source d'inspiration sur le Chemin aujourd'hui.

J'ai rencontré un Suédois qui a vécu plus de trente ans au Canada, où il a longtemps été le grand patron de tous les magasins IKEA. Après les politesses (et kilomètres) d'usage, on s'est mis tout d'un coup à se raconter nos vies comme si on avait élevé les cochons ensemble. Ulf m'a fait un petit résumé de son parcours avant d'en arriver à l'essentiel, « le tournant » de sa vie : le jour où il a pris la décision de « ne pas continuer à être l'homme qu'il était devenu ». Ulf m'a expliqué comment, au fil des ans, il s'était laissé enfermer dans son rôle de grand patron.

On a marché d'un bon pas pendant que cet homme resplendissant de bonheur me racontait sa vie. J'avais l'impression qu'il me parlait de quelqu'un d'autre. Et puis, il s'est arrêté sur le Chemin pour partager avec moi le moment précis où tout a basculé en lui. Il était à la dernière réunion (ou presque) de la dernière (longue) journée d'une semaine (bien trop) intense de planification stratégique quand un collègue lui a lancé à la blague : « Et toi, Ulf, c'est quoi ton "grand" plan stratégique pour les cinq prochaines années ? »

— Il ne cherchait pas à me coincer, il cherchait juste à détendre l'atmosphère, mais j'ai été incapable de répondre. Parce que je n'en savais rien. Parce que je n'en avais pas la moindre idée. Ma vie était vide de sens, en dehors de mon travail. J'avais beau être le grand patron d'une filiale d'une grosse multinationale et à l'affût des moindres besoins de ma grande entreprise, quelque part en cours de route, je n'avais pas réalisé que je m'éloignais de moi. Je ne regrette pas mes années dans le rôle de grand patron, mais je ne voulais plus jouer à être cet homme-là !

On a recommencé à marcher en silence quelques minutes, avant qu'Ulf ajoute, calme :

— Tu sais, Hélène, on échange depuis des kilomètres. Je t'écoute et je marche avec toi. Tu as déjà fait preuve de beaucoup de courage. Tu as une bonne idée de ce que tu veux et de ce que tu ne veux pas. Comme toi, j'ai travaillé pour une grande multinationale. J'ai été en contact avec un paquet de hauts dirigeants d'entreprise, mais aucun d'entre eux, et surtout pas moi, n'aurait été en mesure de percevoir tout ce que tu as en toi. Parce que les grands patrons n'ont jamais de temps pour ça et encore moins ce genre de sensibilité. Je le sais, j'ai longtemps été l'un d'eux.

Je n'oublierai jamais les derniers mots d'Ulf : « Reste fidèle à tes convictions comme à tes engagements. »

JEUDI 25 SEPTEMBRE

Rabanal del Camino – Molinaseca, 27 km.

Ascension des monts de León. Il fait froid. Contente d'avoir mon *polar* et mes gants ! Vues à couper le souffle. Superbe randonnée en montagne.

Moment fort de ma journée : la Cruz de Ferro. J'y ai déposé ma roche en pensant à tous ceux que j'aime. Joli village paisible. Très belle église, j'ai allumé un lampion pour la première fois de ma vie.

Déjà rendu aux trois quarts du Chemin. Il me reste huit étapes à faire.

Mes deux pieds sont numéro un ! Juste fatiguée.

Pas endormie avant minuit. Puis cinq pipis pendant la nuit...

VENDREDI 26 SEPTEMBRE

Molinaseca – Villafranca, 33 km.

Plein soleil. Je marche seule presque toute la journée (33 km sans réfléchir).

Six jours avant d'arriver à Santiago.

Mon bras va beaucoup mieux.

Petit cinq à sept avec le Danois plus catholique que le pape, un Anglais coincé et des Norvégiennes décoincées.

Trop froid pour manger au café : je retourne au gîte.

SAMEDI 27 SEPTEMBRE

Villafranca – O Cebreiro, environ 27 km.

Matin *frette* : 4 °C.

Paysages merveilleux. Vues à couper le souffle. Montagnes (entre 750 m et 1300 m d'altitude). Fin de parcours très, très difficile. Plus que dans les Pyrénées.

Journée en solo, pensé à rien.

Au bar du coin, je rencontre Joachim, originaire de Bilbao. Il est grand et vraiment *cute,* mais il s'en va vers Sarria demain, et pas moi. *Bye-bye, love...*

Il fait 10 °C dans ma chambre. Je prends mon deuxième (!) bain chaud de la journée, avant de m'emmitoufler dans les couvertures et de regarder un match de basket en mangeant.

Nuit froide.

Sommeil agité, la fin approche un peu trop vite.

DIMANCHE 28 SEPTEMBRE

O Cebreiro – Triacastela

Départ : 9 h 15.

Belle journée en montagne. Montées et descentes assez raides. Marché pendant deux bonnes heures avec un couple de Français. Conversations profondes qui nous *énergisent* tous !

Encore cinq jours (140 km). Ça me donne le vertige.

Ce midi, dans un village de 20 habitants et 200 vaches, j'ai acheté deux crêpes délicieuses à une dame qui habite dans une étable, à l'étage au-dessus de ses bêtes.

LUNDI 29 SEPTEMBRE

Triacastela – Sarria, 26 km.

Nuageux. Très confortable.

Superbe journée à travers les bois. Je marche seule. Je suis bien.

Sarria est une ville triste, pauvre et industrielle.

L'un des beaux gîtes, sur le Chemin.

Je m'étends sur une chaise longue au soleil dans le jardin. Je réserve mon hôtel pour Santiago. Tony est dans un mauvais *mood*. Penser à lui envoyer un message de soutien.

Petit pépin : ma carte bancaire ne fonctionne plus. Urgence *cash*. Je dois trouver une banque.

Je tombe sur un petit bar rempli d'Africains en train de célébrer quelque chose. On dirait une sorte de « cérémonie de scarification » sur fond de musique africaine. Je suis la seule femme, et la seule Blanche. On me salue et on me sourit. Je m'installe à une table pour regarder.

Je bois trois toutes petites bières au cours de la soirée. Au moment de payer, on me les offre.

MARDI 30 SEPTEMBRE
Sarria – Ventas de Narón, 33 km.

Petit matin brumeux. Moins de 100 km pour Santiago. Plus j'approche, plus ça me fait drôle.

MERCREDI 1ᴱᴿ OCTOBRE
Ventas de Narón – Melide, 28 km.

Je manque de *fuel*, ça doit être psychosomatique : il ne me reste que deux jours avant d'arriver à Santiago, l'étape finale.

Loué une chambre pour 25 €, avec bain et toilettes !

Je suis toujours incapable de réfléchir à la fin de mon parcours. Demain, c'est la fête de ma sœur. Je vais l'appeler dès mon arrivée à l'étape.

JEUDI 2 OCTOBRE
Melide – Pedrouzo, environ 36 km.

Ciel menaçant. Pas de pluie.

Je réalise que je n'ai pas écouté beaucoup de musique depuis que je suis *on the road*. J'attrape mon lecteur MP3 : option mix de morceaux.

Je quitte le gîte d'un pas rapide. Paul Piché, M.I.A, Céline Dion... Je chante à voix haute en traversant un pré immense. Je marche seule en souriant à la vie. Je marche VITE. Mes amies les vaches me regardent passer sans même beugler. Je me sens SUPER en forme. Mon *down* de *yesterday* est chose du passé (yé !).

Gîte privé au cœur du village. Propre, moderne, laveuse et sécheuse : super endroit pour préparer mon arrivée à Santiago.

Pour faire honneur à la tradition millénaire, je me lave de la tête aux pieds et nettoie minutieusement toutes mes affaires. Lu dans un guide : « Il est du devoir de tout bon pèlerin d'être propre et présentable au moment de franchir le seuil de la cathédrale. » Mais, à force de respecter la tradition, mon lecteur MP3 s'est retrouvé au fond dans la machine à laver. *Bye-bye* ma musique...

J'ai beaucoup pensé à ma sœur aujourd'hui (36 km en 7 heures). J'ai aussi envoyé un courriel à Sarah. J'aimerais bien passer une soirée avec elle à Santiago. C'est la seule personne avec laquelle j'ai l'impression d'avoir vraiment *connect*é (à part Ulf).

Je me couche, mais je ne m'endors pas. Ça tourne bien trop vite dans ma tête. Je pense à demain. Je pense à mon arrivée à Santiago. J'anticipe déjà ma réaction devant la cathédrale. Ça va être bizarre. Petite épiphanie en regardant le plafond : j'ai développé/découvert une sorte de sensibilité/signification à l'égard de l'Église, du Tout-Puissant et de tout ce qui nous protège, nous aide et nous guide. Ma nuit s'annonce mouvementée.

Vendredi 3 octobre

Pedrouzo – Santiago de Compostela, 22 km.
On gèle. Il fait encore noir à 8 heures (!!!).

J'utilise ma lampe frontale pour la première fois le dernier jour. Il pleut et pleut et pleut jusqu'à Santiago.

J'atteins les limites de la ville à 11 h 45. Je m'arrête au premier café après le panneau *Bienvenidos a Santiago de Compostela*. Sentiment étrange. Je revois des gens en uniforme de travail (costume-cravate) pour la première fois en plus d'un mois. Je marche vers la cathédrale. Il fait froid. Tout est gris. Tout est triste. Tout est le contraire de ce que je m'étais imaginé. Je vais récupérer mon certificat du pèlerin (écrit en latin).

Je *check-in* à l'hôtel que j'avais réservé en ligne. Bonne décision. Très propre, moderne, bien chauffé. Je prends un long, long bain. Je me fais une petite pédicure à l'aide de mon canif.

Coup de théâtre : le soleil a repris le dessus pendant que j'étais dans mon bain. La ville est radieuse. Très bon *feeling*. J'avais besoin du soleil pour le croire. J'avais besoin de tous ses rayons lumineux pour réaliser que j'étais bien arrivée à Saint-Jacques-de-Compostelle.

J'appelle maman pour lui annoncer la grande nouvelle, et nous en pleurons de joie (évidemment).

Je m'arrête pour manger. Au menu du jour : *anguilas en all i pebre.*

Mes nerfs se relâchent petit à petit. Je me sens bien. Je retourne à l'hôtel. Je continuerai ma visite de la ville demain.

Samedi 4 octobre

Journée à Santiago.

Nuit pénible. Les anguilles ont mal passé. Je n'arrive pas à me sortir du lit avant 11 heures. J'écris mon dernier courriel à tous.

La messe du pèlerin à midi me fait du bien. Assez pour en oublier mon mal de ventre. Elle est presque trop courte. Comme le veut la tradition, je vais toucher la statue de saint Jacques avant de sortir de la cathédrale.

Rester quelques jours à Santiago. Prendre le temps d'apprécier ce moment de détente, de découvrir la ville et de retourner à la messe. Pour bien digérer l'expérience. Pour faire le point. J'espère revoir Sarah demain. Elle sera peut-être à la messe. Elle aura peut-être lu mon courriel.

J'ai reçu pas mal de réponses à celui que j'ai envoyé ce matin.

Note de moi à moi : Santiago, le fil d'arrivée du chemin de Compostelle, où depuis des centaines d'années des millions de pèlerins marchent pour devenir de meilleurs humains. Santiago (100 000 habitants), capitale de la Galice, l'une des régions les plus pauvres d'Espagne que je viens de traverser à pied, et ses habitants pour lesquels j'ai une profonde admiration. Les Galiciens vivent parfois dans une étable au-dessus de leurs vaches, leurs chèvres ou leurs moutons. Ils ne sont peut-être pas toujours très bien habillés, et il leur manque souvent quelques dents, mais leurs terres sont riches et fertiles, ils sont d'une grande générosité et donnent sans compter.

DIMANCHE 5 OCTOBRE

Toujours à Santiago.

Bonne nuit. Pas malade (yé !). Je passe l'avant-midi au lit à regarder des *Bugs Bunny* en Espagnol. Je retourne à la messe du pèlerin. Trop de monde, mais le vol de l'encensoir géant suspendu au-dessus de nos têtes est TRÈS impressionnant.

Je croise l'ami danois en sortant de la messe. Il est heureux comme un pape.

Je m'installe à la terrasse d'un café à l'entrée de la vieille ville pour regarder l'expression sur le visage des pèlerins qui sont à quelques centaines de mètres d'accomplir leurs rêves. TRÈS émouvant.

Je retourne à la cathédrale pour acheter un chapelet pour maman.

Je m'arrête à un dernier *bar muy típico* où j'écoute les témoignages de nombreux marcheurs. On est vraiment tous sur le même *buzz*.

Je croise l'Allemand de Francfort qui a « couché dans mon lit » à Rabanal del Camino. On en profite pour prendre une photo et en rire.

Je tombe sur les Norvégiennes. Elles m'invitent à un grand souper organisé ce soir. Je leur parle de mes soucis de digestion et elles me laissent tranquille. Je n'aime pas ce genre de soirée entre pèlerins où tout le monde se saoule la gueule.

J'ai vu Sarah de loin à deux reprises aujourd'hui. Elle célébrait son arrivée à Compostelle avec des pèlerins en mode beaucoup plus festif que moi. Je l'appellerai demain pour lui dire merci et au revoir. Le hasard est une drôle de bibitte.

Parlant de hasard, j'ai aussi croisé le Français qui m'avait offert de partager sa chambre et son lit avec une autre femme la première nuit à Saint-Jean-Pied-de-Port. On a fait des photos ensemble en se racontant les hasards bizarres que la vie avait jetés sur notre Chemin en cours de route. On a ensuite passé pas mal de temps à débattre à propos de l'écart entre nos attentes et nos aspirations. À la fin, il m'a lancé l'une de ces fameuses phrases que tout le monde connaît, sauf moi : « Le hasard, c'est Dieu qui se promène incognito... »

MARDI 7 OCTOBRE

Deux jours plus tard.

En transit vers Montréal à l'aéroport de Paris, je me suis acheté deux heures d'Internet afin de trouver le nom de l'auteur de cette fameuse phrase. Deux millisecondes plus tard, j'avais ma réponse : Albert Einstein. Mais, pour retrouver le nom du Français, c'était un peu plus compliqué. Normal : je ne le lui avais même pas demandé.

J'ai profité du reste de mes crédits pour faire un petit ménage de ma boîte de courriels et lire les nouvelles du jour. Hier, Saint-Jacques-de-Compostelle, aujourd'hui Paris, demain Montréal.

Et bientôt, Kigali.

Kigali

Janvier 2009

Repartir

Le décalage horaire amplifie tout. La chaleur est étouffante. La lumière, vive et intense. Les mouches vrombissent comme des Boeing 747 autour de ma tête. La terre rouge s'élève en tempête de sable au premier souffle de vent. Le soleil brûle l'ombre.

Welcome to Rwanda.

Elles ont organisé une petite fête pour marquer le retour de Maman Nicole. Quand je dis « elles », je parle des femmes qui fréquentent le centre d'aide pour veuves et orphelins du génocide des Tutsis que Maman Nicole a créé en 2004. Quand je dis « elles », je parle de ces femmes qui célèbrent notre arrivée, nous accueillent, Maman Nicole et moi, à bras ouverts et me remercient d'avoir aidé cette dernière lors de sa soirée bénéfice à Montréal, au mois de décembre.

Welcome to Rwanda.

Les yeux me piquent. J'observe le monde qui grouille autour de moi. Mon cœur bat vite. Je remarque les détails les plus infimes. Avec ses murs de chaux et de sable, ses toits en tuiles orangées et sa ceinture d'arbustes et de fleurs, le Centre César a des allures de bungalow rococo.

On m'avait bien dit qu'ici, en Afrique de l'Est, la notion de rituel était importante et que toutes les occasions – ou presque – étaient bonnes pour danser ou chanter. Mais j'ai beau avoir été prévenue, je ne m'attendais pas à ça.

La fête bat son plein sous une espèce de pergola située sur le côté du bâtiment. Les femmes ont dressé un buffet traditionnel autour duquel sont rassemblés quelques danseurs et musiciens.

Elles m'ont installée à la table d'honneur avec les doyennes du village. Mes trente-six heures de voyage me rentrent sérieusement dans le corps. Je transpire à grosses gouttes. Je me redresse lentement sur ma chaise en plastique moulé. On a égaré ma valise quelque part entre mes deux escales et mes trois continents et, comme j'ai mal calculé les écarts de température entre Montréal et Kigali, je porte le même jean et le même tee-shirt à manches longues depuis mon départ du Canada.

Les mamans bougent au rythme des tambours pendant que moi, je sue à grosses gouttes sur ma chaise. Elles sont vêtues de pagnes et de boubous colorés et s'appliquent à reproduire des gestes qu'elles se transmettent de mères en filles depuis des siècles, tandis que je bats désespérément des paupières.

Des images de films sur le Rwanda se mettent soudainement à défiler à toute vitesse dans ma tête. *J'ai serré la main du diable, Un dimanche à Kigali, Hôtel Rwanda...* Un sentiment de malaise m'envahit tandis que je rêve éveillée. Derrière mes paupières closes, je revois la dame assise à côté de moi dans l'avion entre Londres et Nairobi. Elle semblait bien connaître le Rwanda. Selon elle, il est de plus en plus difficile aujourd'hui de séparer le vrai du faux. Enfin, c'est le discours que deux coupes de champagne l'ont amenée à me tenir. Anglaise de souche, elle est mariée avec un Tanzanien originaire de Zanzibar et habite dans la capitale du Kenya, où ils sont à la tête d'une société d'import-export depuis une dizaine d'années.

— Sans se soucier de la vérité, Hollywood adapte au grand écran des catastrophes humaines effroyables. Sans se gêner, il réécrit les cauchemars de l'Histoire pour les besoins de ses films. Malheureusement, ces versions hollywoodiennes sont celles que les gens retiennent le plus souvent.

Elle s'en prend à Hollywood avec un accent étonnant – un drôle de mélange entre Shakespeare et Bob Marley –, mais c'est en réalité de l'impact du cinéma sur l'industrie touristique rwandaise qu'elle me parle. Son travail l'a amenée à séjourner plus d'une fois à l'*Hôtel des Mille Collines* où, depuis les succès internationaux de films sur le sujet, des autobus bondés de touristes américains s'arrêtent pour prendre des photos.

— Des photos de quoi ?

— Des photos d'eux debout, souriant devant la guérite des gardiens de sécurité à l'entrée de... l'*Hôtel Rwanda*.

— Vraiment ?

— Vraiment.

Je me suis réveillée encore une fois en sursaut sur ma chaise en plastique. Les femmes en étaient à se passer à tour de rôle la parole pour prononcer des discours en l'honneur de Nicole. Je m'amusais à compter les fêtardes réunies dans la cour, mais je me suis arrêtée après avoir franchi le cap de la trentaine... Trop exigeant pour mon cerveau ramolli. Les enfants couraient dans tous les sens. J'avais mal au cœur. Mes tempes battaient comme des tambours et je sentais mes pieds qui brûlaient dans mes chaussures de randonnée.

Une main s'est posée sur la mienne.

— HéRéna... ?

— Julienne... ?

Dès mon arrivée, Maman Nicole m'avait présenté cette maman rwandaise, chez qui je devais habiter pour la durée de mon séjour. Julienne était membre du CA, elle connaissait le fonctionnement du Centre César sur le bout des doigts et avait le cœur sur la main, selon notre entremetteuse. Je l'avais croisée à peine une minute après mon arrivée, mais la franchise de son sourire et la douceur de son regard m'avaient immédiatement mise en confiance.

— J'ai chaud. Trop chaud...

— Ça va aller.

Je me suis reculée sur ma chaise d'un coup pour défaire mes lacets, mais j'ai du même geste arraché chaussures et chaussettes pour me retrouver pieds nus. Julienne m'a regardée avec un drôle d'air. Elle n'était pas la seule. Plusieurs mamans me guettaient du coin de l'œil, sans savoir si elles devaient rire ou s'inquiéter. Je leur ai lancé un grand sourire de soulagement en me redressant sur ma chaise de plastique.

— Je vais aller te chercher des sandales.

Julienne a attrapé mes chaussures pour les déposer sous ma chaise, puis s'est apprêtée à se diriger vers le centre.

— Pas besoin.

— Il est interdit de marcher pieds nus dans les lieux publics au Rwanda.

Je n'étais pas certaine d'avoir bien entendu ce qu'elle avait dit lorsque je me suis détournée pour regarder toutes ces femmes – ces survivantes – dansant pieds nus devant moi.

À peine sept heures que j'étais au Rwanda. Je connaissais l'histoire récente du pays, oui, mais je ne savais rien des règles de la vie en société. Comme il m'importait d'éviter les faux pas, il allait falloir que je connaisse au plus vite les limites et les coutumes, pour ne pas jouer avec le feu.

Je ne connaissais pas non plus le tempérament des Rwandais, n'en ayant fréquenté aucun jusque-là. Je ne pouvais donc pas savoir que, sous leurs allures réservées, nombre d'entre eux étaient d'une bonhomie souriante et d'une vitalité contagieuse. Je ne pouvais pas non plus imaginer combien toutes les raisons étaient bonnes pour rire, danser et chanter au pays des mille collines. Pas avec toutes ces images télévisées du génocide gravées dans ma mémoire.

— Héréna... ?

— Julienne... ?

J'ai rouvert les yeux d'un coup. J'étais toujours assise à la table d'honneur. Les mamans dansaient, chantaient et s'en donnaient encore à cœur joie. Julienne m'a tendu une paire de *gougounes* aux couleurs du Rwanda : vert, jaune, bleu.

— Pour toi.

— Dis-moi, Julienne, c'est quoi cette affaire de pieds ?

L'après-midi s'étirait en longueur. Je continuais à piquer du nez sur ma chaise. Entre les allocutions en *kinyarwanda,* les chants traditionnels et les danses ancestrales, la cérémonie n'en finissait plus. Je rêvais de rentrer prendre une douche à l'hôtel et de m'effondrer sur mon lit. J'étais à cheval entre ici et ailleurs. Entre deux battements de paupière, entre rêve et réalité, je me suis sentie sombrer pour de bon dans le sommeil. Tout d'un coup, j'étais de retour à l'aéroport de Kigali en train de faire la file devant une grande affiche suspendue au-dessus de la tête des douaniers : *Welcome To Rwanda*, le pays où personne ne sait prononcer la lettre *L*.

— Héréna, tu dors ?

— Non, non...

J'ai dû somnoler un bon moment. Entre-temps, la nuit était tombée, la piste de danse s'était vidée et les musiciens avaient plié bagage. Maman Nicole discutait avec la poignée de mamans qui l'avaient aidée à faire le ménage. Julienne me regardait tendrement, avec un sourire malicieux. J'avais l'impression qu'il était minuit. Ma montre indiquait 18 h 30.

Dans la camionnette, en me raccompagnant à l'hôtel, Nicole m'a expliqué que la vie rwandaise s'articulait principalement autour de la lumière. Joseph, le chauffeur, hochait la tête en fixant la route devant lui.

— La nuit nous tombe dessus d'un coup sec. Une minute il fait clair, la suivante, il fait noir. Tu vas voir.

— À quelle heure ?

— Autour de 18 heures. À quelques minutes près.

— Tous les jours ?

— Oui.

Maman Nicole me parlait d'axes et de parallèles pendant que je m'inquiétais de la vitesse à laquelle nous roulions. Alors

que nous zigzaguions à vive allure entre les voitures, les pié-
tons et les vélos, j'apprenais que le Rwanda est situé juste
sous la ligne de l'équateur. Plus on s'approche de l'équateur,
m'expliquait Nicole, plus la durée des jours et des nuits s'équilibre. Ici, les heures d'ouverture et de fermeture étaient dictées
par la lumière naturelle et l'intensité de la chaleur.

— Le soleil se lève peu avant 6 heures, les mamans arrivent
au Centre à partir de 8 heures pour en repartir avant la tombée
de la nuit.

— Elles habitent loin ?

— Non, à pas plus de dix minutes de marche, mais comme
elles sont à pied et que les chemins de terre ne sont pas
éclairés, elles s'organisent toujours pour rentrer à la maison
avant qu'il fasse noir.

Maman Nicole m'a déposée devant l'hôtel après m'avoir
répété au moins trois fois que Joseph viendrait me chercher
le lundi pour me conduire au Centre et déposer mes affaires
chez Julienne. Je lui ai répondu d'un pouce levé et Joseph m'a
saluée de deux coups de klaxon avant de passer en première
vitesse. J'ai regardé sa camionnette s'enfoncer dans la nuit. Il
n'y avait pas beaucoup d'électricité à Kigali. La ville scintillait
par endroits, comme éclairée par des nuées de lucioles. Je suis
restée là un moment, à regarder le ciel, avant de me diriger
comme un zombie jusqu'à l'entrée de l'hôtel, où le patron
regardait la télé avec sa famille dans le salon à côté de la réception. Se levant d'un bond, il m'a remis la clef de ma chambre
pendant que sa femme coupait le son. Originaire de l'Inde, il
parlait un anglais approximatif, mais il était au courant pour
ma valise égarée.

— *Any news from my bag ?*

— *Oh no, madam. I am very sorry. I have no news.*

J'ai attrapé la clef de ma chambre et j'ai gravi l'escalier qui
menait jusqu'à mon étage. Quand je suis enfin venue à bout
de la serrure, j'ai découvert une pièce dont l'éclairage se résumait à une ampoule au plafond. Le téléphone ressemblait à un

gadget tiré d'un vieux *James Bond*. J'ai décroché l'engin, composé le numéro de l'aéroport et laissé sonner une bonne vingtaine de fois avant que quelqu'un réponde, pour me mettre
aussitôt en attente pendant de longues minutes.

— Toujours pas de valise ?

— Toujours rien.

J'avais réservé un hôtel sur Internet pour mes deux premières nuits. Je voulais me laisser le temps d'arriver et de
me remettre du décalage horaire. Je me voyais mal débarquer
chez une veuve et des orphelins dès le premier jour. Je n'étais
pas mal à l'aise à l'idée d'habiter chez des survivants du génocide, mais plutôt de devoir vivre en famille après avoir vécu
seule pendant presque vingt ans. Si je m'étais réservé un hôtel,
c'était aussi parce que je ne voulais pas découvrir le chez-moi
de mes trois prochains mois après trente heures de voyage et
le manque d'objectivité dû au décalage horaire.

J'étais tombée sur cet hôtel par hasard, en fouillant sur
Internet, et j'avais rempli le formulaire de renseignements,
puis payé mes deux premières nuits, sans me poser de questions. Conformément à l'annonce, il était situé dans le centre
de Kigali, au milieu des collines. Rien d'exceptionnellement
chic, mais un chez-soi temporaire propre et pratique, d'après
les internautes.

À mon premier réveil au Rwanda, enfilant pour la troisième
journée de suite les mêmes sous-vêtements, j'ai rappelé l'aéroport. D'après l'ordinateur de mon interlocuteur, ma valise était
quelque part entre Londres et Nairobi. On m'a conseillé de
prendre mon mal en patience, mais de ne pas m'inquiéter : il
était très rare que les compagnies aériennes perdent un bagage.
J'ai raccroché. Tout ce que je pouvais faire, c'était attendre.

Le buffet du petit-déjeuner était très correct. Sur la grande
table, un vase débordant de fleurs trônait au milieu des pots de
café, des pâtisseries, des fruits et de l'inévitable « bouillie » du
genre gruau. Je me suis empiffrée de mangues délicieusement
fraîches. Je venais de trouver *le* fruit de mon voyage.

Rassasiée, j'étais fin prête à affronter ma journée. Il me fallait trouver autre chose à me mettre sur le dos que les vêtements que je portais depuis mon départ de Montréal. Je me suis arrêtée à la réception pour demander au patron s'il y avait un centre commercial dans les environs.

— *A shopping center?*

Il n'avait pas l'air de savoir de quoi je parlais. Mon manque de talent pour le mime ne m'a pas davantage aidée. Il a appelé sa femme en renfort, et après que j'ai fait d'autres gesticulations inutiles, cette dernière m'a tiré par le bras jusqu'au trottoir sur lequel donnait leur hôtel. Là, elle m'a pointé du doigt un grand carrefour où des groupes d'hommes et de femmes s'affairaient à passer le balai.

— *Thank you!*

Ma première mission en terre rwandaise, donc : trouver un kit de rechange. Dans mon monde, ça voulait dire : un short, deux ou trois tee-shirts, des petites culottes, des bonnes sandales – depuis Compostelle, j'entretenais un rapport différent avec mes pieds.

En remontant l'avenue aux allures de faux boulevard qui devait me mener vers un centre commercial, je me suis surprise à pouffer de rire. C'était trop bizarre. On était un samedi. Il était 11 heures du matin. Toutes les boutiques, tous les magasins étaient fermés. J'ai fait le tour du pâté de maisons où était situé l'hôtel. Décidément, les rues étaient anormalement calmes. Mis à part ces grappes de gens qui balayaient en chœur, le quartier semblait déserté par ses habitants. Déstabilisée, je suis retournée à l'hôtel.

La femme du patron était maintenant seule derrière le comptoir. Sa taille imposante la forçait à pencher la tête pour regarder les clients dans les yeux. Elle portait un sari de couleur rouge orangé, et ses longs cheveux en tresses fines étaient noués sur sa nuque. Elle m'a offert, à moi qui étais encore ignorante des habitudes du pays, une première leçon sur une coutume propre au nouveau Rwanda : nous étions le jour de l'*Umuganda*. Une matinée par mois, il était du devoir de chaque habitant de mettre la main à la pâte pour contribuer au développement du pays. Pour ce faire, il y avait plusieurs possibilités : balayer les trottoirs et les rues, faire des travaux de terrassement et d'aménagement urbain, réparer et entretenir les bâtiments publics, etc. L'*Umuganda* étant un devoir de citoyen, les forces de sécurité veillaient à ce qu'il soit accompli par tous.

— Il n'est permis de se déplacer en véhicule que pour se rendre à l'hôpital ou aller à l'aéroport.

— Tout le monde participe ?

— Oui. C'est obligatoire.

Les plus âgés pouvaient rester à la maison à condition qu'ils y travaillent d'une façon ou d'une autre. Mais l'important pour le gouvernement était d'inciter les jeunes à apporter leur contribution. Parce qu'ils étaient l'avenir du pays. Sa population active. L'*Umuganda* existait depuis que le président Paul Kagame l'avait instauré pour aider à reconstruire le Rwanda.

Le président.

Sa photo était partout : à l'aéroport, sur des panneaux le long des routes, dans les commissariats et *lobbys* d'hôtels... Dictateur pour les uns, sauveur pour les autres, Kagame dirige le Rwanda d'une main de fer depuis la fin du génocide, en juillet 1994. Il est arrivé au pouvoir à un moment où le pays était complètement ravagé et ses habitants en état de choc post-traumatique.

Continuant sur sa lancée, la patronne m'expliquait maintenant que la société rwandaise était divisée en six catégories, établies en fonction du niveau de pauvreté, qui déterminaient le niveau des prestations sociales auxquelles chacun avait droit. Ce système s'appelle l'*Ubudehe*. Ceux qui n'ont rien et vivent dans la rue ont droit à ceci, ceux qui ont un toit à cela, certains ont accès aux services de santé gratuitement, d'autres pas, l'état paie pour les uniformes scolaires de certains enfants, mais pas de tous... Le système social rwandais entier, jusqu'à l'accès à l'électricité, fonctionne selon ce modèle.

Moulin à paroles doté de connaissances encyclopédiques sur son pays, la patronne m'expliquait maintenant dans le détail combien de femmes siégeaient au gouvernement rwandais... Heureusement, l'arrivée d'un autre client m'a enfin permis de m'éclipser. L'horloge dans le hall d'entrée indiquait 12 h 56.

Dehors, ça grouillait maintenant de vie. Je me suis soudain sentie sur une autre planète. Une cacophonie avait envahi les rues. Sous le soleil aveuglant, des dizaines de voitures s'engluaient dans un embouteillage énorme, des femmes marchaient avec des cruches sur la tête, des hommes poussaient des vélos surchargés de charbon de bois, des mototaxis dont les chauffeurs semblaient avoir le pouce collé au klaxon slalomaient entre les obstacles, un camion-citerne crachait de gros nuages noirs... L'*Umuganda* de janvier était terminé.

L'avenue s'étirait en demi-lune sur plusieurs centaines de mètres et donnait sur un grand carrefour où un homme en uniforme contrôlait la circulation. Elle était bordée d'immeubles de trois ou quatre étages ornés de petits balcons de fer-blanc, la plupart abritant des boutiques ou des cafés au rez-de-chaussée. Les magasins avaient relevé leurs rideaux de fer. Des fils électriques pendaient des immeubles, d'antenne à antenne et de poteau à poteau. Les panneaux publicitaires étaient les mêmes qu'ailleurs : MTN, Coca-Cola, Samsung, Primus...

Au bout d'une ruelle, entre deux conteneurs à déchets, des enfants jouaient au foot avec une boîte de conserve. Une banque et une pharmacie étaient serrées l'une contre l'autre, entre une pizzeria et un resto chinois. Des vendeurs ambulants en tee-shirt à l'effigie de Michael Jordan ou de Bob Marley offraient mille et un gadgets aux passants. Un « homme-patère » aux bras remplis de vêtements usagés proposait des pièces rappelant celles qu'on donne à des organismes de charité au Canada. À l'ombre d'une arcade abritant des boutiques, une jeune femme se tenait à genoux devant une vieille machine à coudre à pédale. Un grincement de poulie mal graissée résonnait tout au long de l'interminable passage.

Je fouillais du regard l'intérieur des magasins. Je tendais l'oreille pour découvrir la trame sonore de mon premier samedi à Kigali. Je regardais acheteurs et vendeurs en train de marchander. Je me plaisais à entendre les rires sans en connaître la source, à écouter la vie autour de moi sans comprendre un mot de ce qui se disait.

J'avais l'impression de me retrouver dans un grand bazar : la papeterie vendait des sandwichs briochés, la boulangerie proposait des bombonnes de gaz, la tabagie soldait des machines à laver et le mini-marché d'alimentation liquidait des vêtements usagés en vrac. C'est dans ce dernier que je suis entrée, à la recherche d'une ou deux tenues de rechange. La section homme se résumait à deux grandes tables et celle des femmes à quatre longs présentoirs métalliques. En fouillant, étonnée du dédain que je ressentais soudain, j'ai pris conscience du fait que, de toute ma vie, je n'avais jamais porté de linge usagé.

J'ai fini par choisir un tee-shirt et des gougounes de bonne qualité, que la caissière m'a laissé enfiler à l'arrière de la boutique.

J'étais enfin prête à découvrir la ville.

Le soleil plombait. Une tension électrique planait dans l'air. Les voitures klaxonnaient à tue-tête. Je me suis engouffrée dans la première rue pour m'éloigner du chaos. Une rue en pente abrupte et bordée de petites maisons de plain-pied fraîchement repeintes en blanc, avec des toits en tôle ondulée. Avec une vue à couper le souffle sur des collines verdoyantes où s'alignaient des rangées et des rangées de petites maisons aux toits gris et orange. Au pied de la colline, la rue se terminait à angle droit sur un grand boulevard qui semblait faire un trait d'union entre deux quartiers fort différents.

J'ai tourné à droite pour la simple raison qu'il y avait là un trottoir. L'avenue formait un arc et remontait en pente douce vers un rond-point où trônait une grande église. Des dizaines et des dizaines de gens faisaient la queue devant ce qui ressemblait à un terminus d'autobus. Le quartier regorgeait de petits cafés et de casse-croûtes, et l'atmosphère y était beaucoup plus légère que là où j'avais acheté mon accoutrement.

Soudain, je suis tombée devant une vitrine qui me renvoyait mon reflet. J'en suis restée bouche bée : j'arborais un *look* pyjama et pourtant personne ne faisait attention à moi. Les hommes se retournaient à peine sur mon passage. Malgré ma blancheur, je me sentais à peu de chose près anonyme.

Au coin de la rue suivante, une planche et deux tréteaux formaient un petit kiosque à journaux. Un bar gros comme un dé à coudre donnait sur un jardin extérieur. Les journaux étaient tous en *kinyarwanda*, sauf un, le *New Times*. Le vendeur, un homme de mon âge, me l'a tendu en souriant.

— *American?*

— *Canadian.*

— Québec ?

— Montréal.

Je me suis installée à une table au fond du jardin. Après un long moment de réconfortante solitude, un garçon d'à peine 15 ans est venu prendre ma commande. J'étais plongée dans un article sur le casse-tête linguistique dans lequel se trouvait le pays depuis que le gouvernement avait décidé que la langue d'apprentissage ne serait plus le français, mais l'anglais. Les enseignants étaient épuisés et en avaient par-dessus la tête : à leur temps de travail habituel s'ajoutaient, pendant les vacances scolaires, des cours intensifs et des formations d'appoint imposés par le ministère de l'Éducation. Le choix de l'anglais correspondait apparemment à la réalité économique et géographique des voisins et partenaires commerciaux du Rwanda : l'Ouganda, la Tanzanie et le Kenya.

Le garçon est revenu avec la grande bouteille de bière que j'avais demandée. Au même moment, deux couples dans la trentaine avancée se sont installés à la table d'à côté. Le garçon s'est arrêté pour prendre leur commande avant de retourner à l'intérieur. Consciente de mon *look* pyjama, j'ai porté mon attention sur leur habillement. Les hommes, l'un mince et très grand, l'autre trapu et de forte carrure, étaient vêtus de pantalons de toile bleu sombre et de longues chemises blanches à manches courtes, tandis que les femmes, qui ressemblaient à des sprinteuses olympiques, portaient des jupes droites noires et des chemisiers blancs. La voix du plus grand des deux hommes résonnait à travers le jardin. Il parlait sur un ton enjoué et, debout, gesticulait pendant que les trois autres riaient de bon cœur. Bonté et légèreté se dégageaient d'eux, ce qui me faisait du bien. Je ne comprenais rien de ce qu'ils disaient, mais leurs rires devenaient de plus en plus contagieux. Assez pour m'empêcher de continuer ma lecture. Assez pour m'amener à me redresser sur ma chaise et à les observer du coin de l'œil, avec un sourire.

Le grand s'était maintenant rassis. Il tenait la main d'une des deux filles. J'ai échangé un sourire timide avec elle après avoir croisé son regard, et elle en a profité pour entamer la conversation, de la même manière que le vendeur de journaux à peine une heure auparavant.

— *American?*
— *Canadian.*
— *English?*
— *French.*

Je me suis rapidement retrouvée à leur table, et au cœur de grandes discussions. Le grand s'appelait Félix. Il était le fiancé de Solange, la sœur d'Emmanuel et de Simone. Tous les quatre travaillaient de près ou de loin pour le gouvernement. Ils parlaient tous un peu français ou anglais. Pour nous comprendre, nous n'avions qu'à parler lentement. Nous sommes restés ensemble jusqu'à la tombée de la nuit. Solange m'a harponnée juste avant de partir.

— Tu fais quoi demain?
— Dimanche...?

— Tu vas prier ?

— Demain ?

— Tu veux venir à l'église avec nous ?

— Genre, à la messe ?

— À l'église francophone.

— Pourquoi pas ?

J'étais ivre de fatigue. J'avais les jambes molles. La nuit ressemblait à un grand trou noir. Comme l'avenue était mal éclairée, le garçon du café a préféré demander à son cousin chauffeur de mototaxi de me raccompagner à l'hôtel. Avant d'enfourcher sa moto *made in India*, le cousin en question m'a fait enfiler un vieux casque cabossé. J'avais bu trois bières en plus ou moins trois heures, mais, comme leurs bouteilles sont deux fois plus grosses que les nôtres, j'avais dépassé mon quota. J'ai ceinturé le cousin avec mes bras, et il a mis les gaz.

— Prudence, *cousin*.

— Oui, *madame*.

L'avenue était déserte. La moto roulait au pas ou presque, et le cousin longeait religieusement la voie lumineuse tracée par son phare avant. Le moteur toussotait. La montée était raide. Le haut de mon casque cognait contre l'arrière du sien à chaque changement de vitesse.

Être partout et nulle part à la fois.

Je remontais une longue avenue dont je ne connaissais pas le nom, sur la moto d'un parfait inconnu, et j'étais incapable de me rappeler la dernière fois que je m'étais senti aussi bien. Une petite décharge d'adrénaline a traversé mon corps.

— Ça va, *madame* ?

— Prudence, *cousin*.

Le trajet a duré moins de cinq minutes, et la course coûtait trois fois rien. J'étais aux anges. Mon chauffeur méritait un bon pourboire.

— Vous êtes là pour longtemps ?

— Trois mois.

Il m'a tendu une carte avec son nom et son numéro de téléphone.

— Bonne nuit, *madame.*

— Merci, *cousin.*

Il a remis les gaz et a disparu dans la nuit.

Je suis restée debout sur le trottoir à réfléchir pendant un bon moment avant de rentrer à l'hôtel, où la patronne m'attendait derrière son comptoir. Je n'avais plus l'énergie – et encore moins la patience – de me faire donner des leçons d'histoire. Je voulais récupérer la clef de ma chambre. Rien de plus.

— *My key, please.*

— *Wait.*

J'ai aussitôt regretté mon ton de voix excédé. La patronne me souriait comme un Bouddha.

— *Look!*

Elle pointait de son doigt l'espace de rangement sous l'escalier.

— *No way!*

Ma valise était arrivée!

Le lundi matin, en me voyant sortir de l'hôtel avec ma valise à roulettes, Joseph m'a fait un petit signe de la main. Sa camionnette était garée sur le trottoir d'en face. Il discutait avec un homme vêtu d'un uniforme et d'une casquette bleus. Ce dernier examinait ses papiers d'identité. J'ai préféré rester en retrait le temps de leur échange.

Je me remémorais ma visite de la veille à l'église francophone avec Emmanuel, Félix, Solange et Simone, lorsque mon chauffeur est venu me tirer de mes pensées, s'excusant, d'un air blasé, pour le contretemps. Il a attrapé ma valise et l'a déposée à l'arrière de la camionnette.

— Tout va bien?

— Contrôle de routine.

Je ne savais pas trop quoi penser de tous ces hommes en bleu qu'on voyait un peu partout. Je les avais remarqués dès mon arrivée à l'aéroport, et croisés un nombre incalculable de fois pendant mes balades du week-end. Ils étaient discrets, mais omniprésents. Au Rwanda, ai-je pensé, on ne plaisante pas avec la notion d'ordre public.

Une fois installée dans la camionnette, j'ai senti des papillons m'envahir le ventre. Mon vrai voyage commençait enfin. Nous avons roulé en silence pendant de longues minutes, jusqu'à ce que Joseph me demande ce que j'avais fait de mon week-end. Je lui ai tout raconté : la saga de la valise, ma découverte de l'*Umuganda*, mon après-midi au bar avec mes nouveaux amis, ma balade en mototaxi, ma visite à l'église...

— Tu es allée à la messe ?

— Dans une grande église en briques rouges.

— Sur le haut d'une colline ?

— Tu connais ?

Joseph a pris une longue inspiration avant de me raconter l'histoire de l'église Sainte-Famille, où plusieurs milliers de Hutus et de Tutsis avaient cherché refuge pendant le génocide.

— On raconte que le prêtre tenait un registre avec le nom de tous les réfugiés, et qu'il le partageait avec les miliciens pour les aider à établir la liste de leurs prochaines victimes.

— Vraiment ?

Joseph ne parlait plus et fixait la route en silence. J'avais l'impression d'avoir fait une gaffe. J'ai pris conscience de mon ignorance sur certains aspects et détails douloureux de la tragédie rwandaise. J'ai donc changé de sujet pour retrouver une atmosphère plus légère.

— On dit que le marché de Kimironko mérite le détour ?

— Oui. On y trouve de tout. Des légumes, des fruits, du poisson, de la viande, comme des chaises en plastique, des tuyaux, des casseroles... de tout.

Le village d'Imena se trouve dans le secteur de Kimironko, dans la ville de Kigali. Comme des dizaines de villages au Rwanda, Imena a été construit pour accueillir des veuves et des orphelins du génocide. Au départ, cent cinquante veuves y vivaient, mais, au fil des années, avec les enfants et les familles recomposées, le nombre d'habitants avait augmenté. Il s'élevait désormais à plus de huit cents.

Joseph a quitté la route principale pour emprunter un petit chemin de terre couleur rouille. Les artères de Kimironko n'étaient pas goudronnées et la camionnette soulevait un long nuage de poussière en roulant. Les rues étaient bordées de hauts murs de béton gris pâle derrière lesquels se cachaient des constructions de différentes tailles, recouvertes de toits en tôle. En passant devant le Centre César, Joseph a klaxonné, et de larges sourires ont illuminé les visages de deux mamans en pleine discussion sur la galerie. L'endroit où j'allais habiter pendant les trois mois à venir ne devait plus être très loin.

Joseph m'a déposée devant une petite clôture en bambou. Elle cachait une petite maison. Le sourire de Julienne, qui m'attendait à l'entrée, entourée de ses deux garçons et de sa fille, m'a tout de suite réconfortée. J'ai de nouveau remercié Joseph, il m'a souri puis s'est éloigné dans un nuage de poussière rouge. Julienne a couru vers moi.

— Héréénaaa!

Elle avait les yeux pleins d'eau. Elle m'a serrée dans ses bras comme un enfant perdu qu'on ramène à sa mère. C'était un peu beaucoup, voire trop. Heureusement, Maman Nicole m'avait prévenue que Julienne était une femme très émotive.

— Allez, viens!

M'attrapant par la main, elle m'a guidée vers ce qu'elle appelait sa maison: une structure de blocs de ciment assemblés comme des Legos, en forme de L. La visite a commencé par la partie où elle habitait avec ses trois enfants. L'ameublement était minimal. Une table entourée de quatre chaises et une armoire servant de garde-manger dans la cuisine (le four et les bidons d'eau se trouvaient à l'extérieur, sur le perron). Des matelas posés à même le sol dans la chambre des garçons. Un vieux divan recouvert d'un jeté fleuri, une grosse radio

portative juchée sur un bahut patiné par le temps, une table
basse et quelques chaises en bois dans le salon.

Difficile d'imaginer qu'autant de personnes vivaient ici.

Julienne m'a ensuite fait traverser la cour jusqu'à mon
annexe « meublée ». Une chaise de jardin en plastique blanc,
une planche posée sur deux tréteaux en guise de table, un
mince matelas sur une base de bois, une moustiquaire de lit
suspendue au plafond, un jerrican d'eau et un petit pot de
plastique, afin ne pas avoir à sortir la nuit pour aller à la toilette turque.

Julienne m'observait du coin de l'œil, attendant mon ver-
dict. Ça tournait à toute vitesse dans ma tête. Je me suis assise
sur la chaise de jardin au milieu de la pièce, balayant l'espace du regard. Comment faire de ce lieu sans toilette un nid
douillet ? Je cherchais des solutions : installer des crochets pour
mes vêtements, accrocher des rideaux de couleur, fixer mon
babillard quelque part, etc. Après avoir longuement réfléchi à
ce dilemme, je me suis rappelé Compostelle. Si je n'avais pas
marché sur le Chemin, je ne me serais pas retrouvée assise
sur cette chaise de jardin, en train de me faire à l'idée de vivre
sans douche ni toilette pendant trois mois.

— Ça va aller, Héréna ?

— Ça va aller, Julienne.

Je venais de passer plus d'un mois à faire pipi dans des
bois, des champs, des fossés, entre des rochers. J'avais été relu-
quée par des chiens et des chats, des vaches et des cochons,
des chevreuils et des sangliers, des oiseaux et des poissons, et
même dévorée par les moustiques. J'en avais vu, des choses,
sur le Chemin, et plus rien ne m'impressionnait outre mesure
– mis à part ces insectes de la taille de mes pouces qui avaient
apparemment élu domicile dans les toilettes turques, et que
je n'allais pas tarder à découvrir, avec effroi.

Après la visite officielle, les présentations familiales.
Julienne a réuni ses trois enfants dans le salon où, tour à tour,
ils se sont présentés à moi, et moi à eux. C'était un drôle de

moment. Personne n'avait la moindre idée de la nature des liens qui allaient se tisser entre nous. Patrick, le plus âgé, était au début de la vingtaine. Il m'avait à peine adressé la parole depuis mon arrivée, mais sa gentillesse était évidente. Willy, le deuxième, âgé de 20 ans, était un éternel ado. Vanessa, la benjamine, qui avait moins de 10 ans et dont le père était inconnu, avait dans le regard un courage immense. J'allais comprendre au fil de nos conversations que la plus jeune n'était pas née pendant le génocide, et qu'avant elle, une autre enfant avait fait partie de la famille, Jojo, qui avait 27 ans et vivait au centre-ville, car elle avait décidé de faire sa vie à sa façon. Julienne portait en elle de grandes souffrances et je me suis soudain sentie submergée par un sentiment d'amour inconditionnel. Envahie par une profonde reconnaissance pour cette femme qui m'accueillait dans sa maison.

Après avoir salué les enfants et ramassé quelques affaires, Julienne et moi avons pris la direction du Centre. Nous avons longé le mur grillagé de la prison au coin de la rue où Joseph avait tourné. Dans la cour intérieure, il y avait des hommes portant un uniforme orange et d'autres un uniforme rose. Au cours de nos échanges téléphoniques, Nicole n'avait jamais mentionné la présence d'une prison à deux pas de son centre. Ni que la couleur des uniformes correspondait au statut des détenus : orange pour les prévenus en attente de jugement, rose pour les condamnés purgeant une peine. Ni que ces derniers étaient majoritairement des génocidaires.

Dès mon arrivée au Centre, je suis allée vers Nicole.

— Tu aurais pu au moins me prévenir ?

— De quoi ?

— La prison.

— Tu vas t'habituer.

— Ce n'est pas dangereux ?

— Non, tu es au Rwanda.

J'allais apparemment devoir m'*habituer* à beaucoup de choses au cours des prochains mois. À cette prison que je venais de longer pour me rendre au Centre, à tous ces hommes en bleu qui se promenaient l'air de rien un peu partout, à l'interdiction de se balader pieds nus... Mais, comme Maman Nicole me l'a alors dit : « Au Rwanda, tu apprends à vivre avec ce genre de choses, un point c'est tout. »

Elle et moi nous connaissions à peine. Nous nous étions seulement croisées au Québec lors de la soirée bénéfice, sans plus. C'était ma première journée au Centre César. Nicole avait déjà été à ma place, une Blanche qui débarque au Rwanda parce qu'elle a décidé qu'elle voulait aider, et elle devait sentir mon mélange d'excitation et d'angoisse. Elle a continué en me disant :

— Tu n'es pas ici en voyage organisé. Accorde-toi le temps d'arriver et de prendre le pouls de la place. Laisse les mamans venir à toi. Observe, écoute, explore, sans oublier que la notion du temps n'est pas la même ici que là-bas, chez nous.

Ce jour-là, j'ai réalisé à quel point je n'avais rien compris à la tragédie du Rwanda ni mesuré les cicatrices laissées par le génocide des Tutsis. Je ne mesurais pas non plus l'ampleur des défis auxquels le Centre César faisait face. Je savais que je voulais aider, mais sans avoir de plan, sans savoir comment, sans même connaître les besoins des mamans ou encore les priorités de Maman Nicole. Sur papier, la mission du Centre était de permettre à ces femmes brisées d'acquérir une plus grande autonomie. En la matière, j'étais sûre de pouvoir leur apporter plein de bonnes petites choses. Je savais que je pouvais leur être utile. Mais comment ?

À l'origine, lorsque Maman Nicole l'avait ouvert, le Centre César était un modeste centre communautaire dont la vocation était de permettre aux veuves et aux orphelins du génocide des Tutsis de se retrouver en toute confiance et en sécurité. De leur offrir des petits havres de paix où à la fois réapprendre à vivre et rapprivoiser la vie. Mais, au bout d'un certain moment, Nicole avait voulu leur en donner plus, sous la forme de cours de couture, d'artisanat, de mécanique automobile, de danse, etc.

J'ai passé beaucoup de temps à discuter avec Nicole au cours de cette première semaine. Elle m'a expliqué que les femmes avaient leur maison dans l'*umudugudu* (le village) d'Imena, à Kimironko, mais qu'elles passaient presque toutes leurs journées au Centre. Certaines le quittaient le temps de la pause à l'heure du lunch, mais la majorité profitait de la collation composée de pain et de thé, puisqu'elles n'avaient souvent rien à manger chez elles. Elles ne quittaient les lieux qu'à la tombée de la nuit, vers 18 heures. Le centre de Nicole se trouvait dans cet endroit particulier : le secteur avait été délimité par le gouvernement qui y avait bâti des maisons, et les avait données à quelque cent cinquante veuves. Depuis, il était devenu *le* centre du monde pour ces femmes qui avaient traversé l'enfer.

La nuit allait bientôt tomber. Nicole est allée nous chercher à boire dans la cuisine.

— N'oublie jamais que beaucoup de ces femmes ne se remettront jamais de ce qu'elles ont vécu. Tu as beau les entendre rire et chanter, tu peux bien les regarder s'amuser et danser, mais ce que tu ne vois pas encore, ce que tu ne peux même pas t'imaginer, ce sont toutes ces marques et blessures qu'elles portent encore en elles.

Nicole a baissé la tête et a poursuivi en fixant le goulot de sa bouteille de bière.

— Des blessures encore fraîches, à fleur de peau même quinze ans après la tragédie. Elles portent les traumatismes physiques et les séquelles psychologiques des châtiments dégradants et inhumains qu'on leur a fait subir. Leur corps est marqué à vie. Elles souffrent de paralysies partielles et de maux de dos chroniques. Leurs cicatrices sont très profondes.

La nuit s'installait tout autour. Je n'avais rien à dire ni à ajouter, mais j'étais convaincue d'une chose : je voulais travailler ici avec mon cœur, et avec ma tête.

J'allais au Centre tous les jours, et je revenais chez Julienne, que je commençais vraiment à considérer comme une amie. Nous allions prendre une bière au pub ensemble, nous nous ouvrions l'une à l'autre. J'établissais ma routine, je découvrais mes habitudes. J'étais en phase d'acclimatation. Tous les matins, je me levais vers six heures et demie, un peu avant que les enfants commencent à courir dans les rues au son du chant des poules et des coqs – réveille-matin pour ainsi dire naturel. J'allais courir entre 7 et 8 heures, et le temps de prendre ma douche et de marcher jusqu'au Centre, j'y étais pour le petit-déjeuner.

Chaque matin était différent, et me faisait du bien. Ce qui m'a le plus frappée les premiers temps, c'est à quel point les petites choses pouvaient apporter du bonheur aux personnes qui m'entouraient, et du même coup m'en procurer à moi aussi, énormément. Apporter le jerrican d'une vieille dame au puits, payer un souper nourrissant à une des mamans, et ainsi de suite : je me faisais plaisir en leur faisant plaisir. Et je continuais à explorer mon propre rôle au Centre. À tâter le terrain.

Le troisième vendredi, fatiguée de me laver à la mitaine, j'ai décidé de retourner à l'hôtel à Kigali. J'étais bien, chez Julienne, mais il n'y avait pas d'eau courante, et il y avait du monde tout le temps. Elle avait toujours prévu pour moi plusieurs bidons d'eau de puits, mais comme le mien était souvent vide le matin, je devais demander à mon amie de m'en faire chauffer un peu sur son BBQ (*imbabura*). Compostelle m'avait appris à m'adapter à l'inconfort et à être moins exigeante, mais ce matin-là, quand je me suis entendu crier : « Esti ! Vous avez jamais vu une *Muzungu* (Blanche) se brosser les dents ? » aux enfants qui m'espionnaient en riant, j'ai filé à mon ordinateur pour me réserver une chambre. J'en avais besoin pour décompresser un peu. Le temps d'une nuit. Pour bien manger et bien dormir, lire les nouvelles, sentir un jet d'eau puissant et rester sous la douche le temps que je voulais.

Julienne comprendrait...

Le lundi suivant, quand je suis revenue au Centre, les mamans avaient une question à me poser. Celle qu'elles semblaient avoir désignée comme porte-parole, et dont je ne connaissais pas encore le prénom, s'est approchée de moi. Elle était vêtue d'une longue robe brune et de vieilles sandales marron. Cette vieille femme au regard perçant et au sourire inspirant m'a demandé :

— Héréna, tu cours tous les jours, hein ?

— Cinq jours sur sept au minimum.

— Tu es une véritable sportive ?

— Si on veut.

— Tu as donc les connaissances et les compétences fondamentales, n'est-ce pas ?

Les doyens parlent souvent un français à la fois formel et vieillot au Rwanda.

— J'ai de bonnes bases, comme on dit.

— Tu ne voudrais pas nous apprendre ?

— À courir ?

— Nous apprendre le sport ?

En réalité, ce sont donc les femmes que je venais aider qui ont elles-mêmes trouvé comment je pouvais le faire. J'ai alors commencé à m'impliquer réellement. Le matin, je leur donnais mes cours de gym : je n'avais rien préparé, ça se faisait comme ça venait. Elles me posaient des questions, et je les aidais à démystifier toutes sortes de croyances quant aux sports et aux femmes. Par exemple, plusieurs d'entre elles croyaient qu'un excès d'activité physique pendant la grossesse pouvait faire perdre le bébé. Je leur donnais à la fois des cours de sport, d'éducation sexuelle et de nutrition. En après-midi, j'aidais à la banque alimentaire. Nicole avait formé un comité avec certaines de ses mamans et, entre elles, elles avaient dressé la liste des besoins de chacune. Celles qui souffraient du sida – sans jamais en parler, même si tout le monde était au courant – recevaient une attention particulière. La banque faisait à la fois la distribution de la nourriture et des médicaments.

En soirée, je buvais quelques bières avec Nicole et Julienne. Au centre ou au pub. Au début, c'était Julienne qui trinquait le plus souvent avec moi. Nous avons véritablement appris à nous connaître au fil de ces soirées. Plus les semaines passaient, plus nous nous ouvrions l'une à l'autre. Le bistro où nous nous retrouvions était tout petit, délabré. J'ai pensé, la première fois que j'y ai mis les pieds, que ça ressemblait à un pub qu'un voisin aurait ouvert dans son salon, vendant de l'alcool sur son balcon. Nous nous installions en terrasse et nous décompressions. Comme moi, mon amie tenait à sa bière de fin de journée.

Au fil du temps, les autres mamans, avec lesquelles je me liais aussi d'amitié, se manifestaient de plus en plus pour le verre du soir. Et pour plusieurs d'entre elles, c'était souvent plus d'une bière. J'ai appris à aimer la lenteur dont Nicole me parlait au début de mon voyage. Ce rythme me charmait. Je faisais désormais partie de la vie du village. Enfin, c'est ce que je sentais. Moi qui avais toujours vécu seule, j'avais désormais une famille. Les gens en général, les femmes du Centre en particulier – elles surtout, parce qu'elles étaient des veuves qui n'avaient plus rien à perdre –, venaient vers moi pour me demander conseil, de l'aide ou des sous. J'étais la Blanche du village, et l'info avait circulé, comme c'est souvent le cas : j'avais de l'argent, et j'étais prête à en offrir. J'aimais faire plaisir, j'aimais la complicité que les femmes développaient avec moi, la confiance qu'elles m'accordaient, mais je ne voulais pas non plus qu'on abuse de moi.

Après quelques semaines, j'ai réalisé que l'argent que je prêtais aux mamans avec lesquelles je m'installais au bar servait très rarement à acheter le sac de riz pour lequel elles me l'avaient demandé. J'ai compris que quand quelqu'un sollicitait mon aide pour aller à la clinique, mais ne voulait pas que je l'y accompagne, ça voulait dire qu'il n'y avait probablement pas de clinique à consulter. Il me fallait trouver le moyen de prendre mes distances sans m'éloigner. Si je devais aider, il fallait le faire de la bonne manière. Je ne voulais pas être uniquement sollicitée pour ce qu'on s'imaginait que je possédais.

Peu à peu, je prenais conscience qu'être la Blanche du village pouvait vouloir dire devenir la banque du village. Les gens cognaient à ma porte à longueur de journée pour me demander de l'aide, ce qui me ramenait à ma question fondamentale : *quelle* aide étais-je en mesure d'apporter, et à *qui* l'apporter ? Chaque fois, les gens que je rencontrais au cabaret étaient prêts à boire jusqu'au lendemain matin. Je ramassais la facture de tout un chacun alors que moi, après un verre, j'en avais eu assez. Perdre un dollar pour faire plaisir à quelqu'un ne m'avait jamais dérangée, mais j'allais devoir apprendre à poser mes limites.

C'est après avoir compris tout ça que j'ai rencontré Zoé, au pub.

Tous les soirs, il se trouvait une nouvelle habitante du village qui avait entendu parler de moi et qui venait me voir. Mais Zoé a fait les choses différemment. D'abord, elle s'est simplement assise devant moi. Elle ne m'a pas demandé de bière. Elle a pris une gorgée de la mienne, en me regardant droit dans les yeux.

Nous nous étions déjà croisées au Centre, mais elle ne venait jamais à mes cours de gym ni aux cours d'anglais que j'avais peu à peu incorporés à mon programme. Bref, nous ne nous connaissions pas.

Cette première soirée, nous avons discuté un peu, puis elle est repartie. Elle avait les yeux vides et il émanait d'elle un mélange de souffrance et d'indifférence. Je me suis promis de ne jamais la prendre en pitié... Jusqu'au soir où, après que je lui ai offert une bière, nous avons eu une conversation à fendre l'âme.

— Mais tu as 30 ans, Zoé. Tu es jeune. Tu as un enfant. Tu n'as pas envie de faire quelque chose de ta vie ? J'aimerais bien mieux te donner des sous pour autre chose que de la bière. Pour suivre une formation dans quelque chose qui te passionne, par exemple.

Elle me jaugeait d'un œil en m'écoutant d'une oreille.

— Je bois pour oublier, Héréna.

— Pour oublier quoi ?

Elle m'a raconté *son* génocide. Les viols à répétition subis à l'âge de 14 ans. Sa mère qui l'avait vendue à des soldats et à des miliciens. Son fils qu'elle aimait et détestait à la fois parce qu'il était né du cauchemar qu'elle avait vécu.

J'en suis resté bouche bée. J'ai commandé deux grandes bouteilles de bière avant de lever mon verre et de trinquer avec elle en silence. Zoé venait de m'apprendre qu'il existe deux types de survivantes : celles qui ont le courage et la force de continuer, et celles qui se résignent à survivre.

Mes trois mois au Rwanda tiraient à leur fin. Je les avais traversés en m'installant dans une routine articulée autour des besoins quotidiens des mamans du Centre César. Des femmes que j'avais appris à adorer. Je me levais tous les matins à la même heure, réveillée par les enfants qui couraient dans les rues, l'âme légère, réconfortée par leurs rires, les bruits de la vie et même le caquetage réconfortant des poules. J'allais faire mon jogging, je croisais les mêmes visages et les mêmes voix me saluaient. En semaine, je partais au Centre prendre mon petit-déjeuner, j'y donnais mes cours. Les veuves s'y présentaient ou non, mais moi, j'étais toujours là. Je participais à la banque alimentaire, et je repartais au coucher du soleil approfondir autour d'un Fanta Orange mes liens avec les gens de ce village où je me sentais désormais chez moi. Ils commençaient déjà à me manquer même si je n'étais pas encore partie. Je continuais à aller à l'hôtel de temps en temps, les vendredis. J'y mangeais un bon repas, souvent de la cuisine indienne, au restaurant du rez-de-chaussée, et lisais les nouvelles de la semaine dans mes deux journaux habituels : le *New Times*, que j'avais découvert au restaurant le premier week-end, et le *Focus*.

J'étais en paix. Je n'étais plus cette Hélène dont j'avais commencé à avoir honte. Je n'étais plus cette *workaholic* qui ne vivait que pour la compagnie qui l'employait, peu importe laquelle. Je ne me sentais pas prête à partir dans une semaine, mais la date sur mon billet de retour était celle-là. Montréal m'attendait. Pour y faire quoi ? Je ne le savais pas. Mais je savais que je reviendrais ici. Je n'en doutais pas un instant. Une partie de moi y était installée, y avait découvert une manière d'aider, de faire quelque chose d'utile. C'était mieux que Compostelle. Mieux que tous les contrats. Mieux que tous les voyages en première classe vers de nouvelles destinations toujours plus exotiques et merveilleuses. C'était le Rwanda.

Lors de ma dernière semaine à Kimironko, je sentais que les cœurs commençaient à se serrer, le mien le premier. Julienne semblait plus distante. Je lui avais dit que je reviendrais, que je savais que ma place était également ici, d'une manière ou d'une autre, mais combien de Blancs leur avaient dit qu'ils reviendraient ? Je ne pouvais en vouloir à personne de ne pas me croire. Mais moi, j'étais certaine de ma sincérité.

Le lundi précédant mon départ, Nicole m'a demandé de venir la voir.

— J'ai vraiment besoin d'aide.

— Ah bon ?

Elle et moi n'avions pas les mêmes liens avec les femmes du centre. Elle était la patronne, la gestionnaire. J'avais quant à moi eu la chance de développer des liens étroits avec nombre d'entre elles. Celles qui aimaient aussi boire leur petite bière et moi, nous nous connaissions bien, maintenant, et comme ça me faisait tellement plaisir de leur payer une tournée dans ces moments privilégiés, elles se sentaient en confiance, et s'ouvraient à moi. Elle les aimait, elle les adorait, elle voulait être avec elles, mais elle restait la patronne.

Par ailleurs, la responsable du Centre César n'était malheureusement pas experte avec les chiffres. J'étais venue ici pour être bonne avec les gens, mais elle savait que mon côté cartésien pouvait lui être utile. C'était une des raisons pour lesquelles elle m'avait accueillie à bras ouverts dès le départ. Je lui proposais des pistes, des manières de mener le Centre vers une plus grande autonomie financière. Nous avions développé une amitié, elle et moi. Elle me connaissait, je la connaissais. Je savais pertinemment qu'en raison de sa fierté, la femme qui se tenait devant moi avait de la difficulté à demander de l'aide.

Ce jour-là, Nicole m'a expliqué qu'après cinq ans à travailler au Centre, ses revenus n'étaient plus aussi stables. Elle savait que je disais vrai, quand j'affirmais que je ne faisais pas mes adieux, cette semaine-là. Et elle cherchait à rendre le Centre César moins dépendant de l'aide étrangère.

— Je vieillis, Hélène. Je suis fatiguée. Je ne peux plus retourner au Canada chaque année pour faire des campagnes de financement. Il me faut trouver une autre solution. J'ai besoin de ton aide.

Il lui fallait une autre vision. Elle se trouvait coincée dans un vieux modèle d'affaires. Il lui fallait en sortir et, pour ce faire, il lui fallait du concret. Elle me demandait d'élaborer avec elle un nouveau plan stratégique afin de rendre le Centre économiquement autonome. En effet, l'argent que lui rapportaient ses campagnes de financement ne lui permettait plus de respecter ses engagements envers les mamans. Elle partait au Canada avec plus de marchandise qu'elle n'était en mesure d'en vendre, pour en revenir sans les sous qu'elle avait promis aux veuves.

— Laisse-moi penser à tout ça quand je serai de retour au Canada. Mais dis-toi que tu peux compter sur moi.

J'ai passé mon dernier vendredi soir à l'hôtel où, malgré l'ambiance festive et la musique enjouée du *band* congolais qui y jouait tous les week-ends, je me sentais mélancolique. Même ma Mutzig avait un goût amer.

Je suis remontée à ma chambre à la fin du premier set. La soirée était encore jeune, mais j'avais le moral dans les chaussettes et le cœur à l'envers. Je m'interrogeais sur la viabilité financière du centre de Maman Nicole. Je pensais à Julienne, à ses enfants que j'avais appris à connaître et à aimer. Je songeais à toutes ces mamans survivantes si souriantes et courageuses, et à tous ces hommes et à toutes ces femmes qui faisaient maintenant partie de ma vie.

J'ai passé la nuit à tourner dans mon lit et c'est avec les yeux cernés que je suis retournée chez Julienne le lendemain matin.

— Ça va, Héréna ?

— Mauvaise nuit, Julienne.

Elle avait posé ses mains sur sa bouche comme si je venais de lui annoncer la fin du monde pendant que j'enfilais mes souliers de course.

— Tu vas courir ?

— Comme tous les jours.

J'ai passé le reste de la journée à faire ma valise et à préparer mon départ. Tous les voisins étaient venus me souhaiter bon voyage et bonne vie. Ils me faisaient tous des adieux définitifs. Je n'osais contredire personne, même si je m'étais déjà engagée à revenir. Julienne et Vanessa n'y croyaient pas trop, elles non plus, et les entendre pleurer mon départ me tordait les tripes. La panique et la peur de l'abandon les submergeaient. Après tout ce qu'elles avaient vécu, je comprenais qu'il leur soit difficile de faire confiance.

Avant de monter dans le taxi, j'ai pris le temps d'embrasser Willy et Patrick et de bien les serrer dans mes bras. Comme eux, j'avais du mal à retenir mes larmes. Quant à Julienne et Vanessa, elles étaient en sanglots.

Je leur ai lancé un dernier clin d'œil à travers la fenêtre du taxi, en repensant à une phrase que j'avais notée quelque part, il y avait longtemps : « On ne dit jamais adieu à ses amis. »

Après trois mois au Rwanda qui auraient pu sembler incompatibles avec mon ancienne vie, je me retrouvais à nouveau dans un avion vers Montréal. Je regardais les nuages avaler le pays qui disparaissait, et mon corps me rappelait les lieux qu'il avait traversés. J'avais la tête pleine de souvenirs et le cœur gros. J'avais aidé, j'avais aimé, et j'avais hâte de revenir. Ma respiration a changé et le sommeil a fini par m'envelopper. Je ne me rappelle aucune de mes escales ; je crois que j'ai rêvé jusqu'à Montréal.

Kimironko

Octobre 2009

REVENIR

En regardant les paysages défiler par la fenêtre du taxi, j'étais heureuse. Un grand sourire a fendu mon visage quand j'ai reconnu Kimironko avec ses rues rouges, ses maisons en ciment, les grillages de ses cours intérieures, les visages familiers de ses habitants. En sortant de la voiture, des sacs de jouets plein les bras, je me sentais comme la mère Noël. Les enfants les plus petits piaffaient d'impatience, les yeux brillants, et les plus grands convoitaient déjà leurs prises. Un rire contagieux s'était emparé de notre bout de rue et ce joyeux brouhaha piquait la curiosité du quartier. Julienne pleurait à gros bouillons depuis la seconde où elle m'avait vue descendre du véhicule. Des rayons de soleil balayaient la rue. Willy, un de ses fils, se tenait légèrement en retrait. Il discutait avec un jeune garçon que je n'avais encore jamais vu.

Vanessa s'est mise à sautiller sur place en criant mon nom à pleins poumons.

— Hérééénaaa !

Sauf pour se rendre à la prison, les taxis n'avaient pas l'habitude de s'aventurer dans Kimironko. J'avais beau l'avoir averti quand nous étions partis, mon chauffeur s'était redressé d'un coup sur son siège à la vue des enfants se ruant sur sa voiture.

— Hérééénaaa !

L'une des plus belles choses que j'aie vues au Rwanda est la capacité des gens à transformer l'instant le plus anodin en moment précieux. Ainsi, mon arrivée est devenue une grande fête, une belle occasion de se réjouir, de rire et de plaisanter. De plus, je revenais les bras chargés des cadeaux que j'avais récoltés lors d'une guignolée maison que ma mère et moi avions organisée avant mon départ.

Faire de chaque moment un instant unique. Donner un sens aux évènements. Accepter la réalité. Apprendre à faire avec elle. J'avais remarqué, lors de mon premier séjour, la manière qu'avaient les Rwandais d'aborder leur avenir en fonction de l'instant présent, et non du passé. De retour à Montréal, j'avais clamé à qui voulait l'entendre que leur capacité à ériger la notion de présent en valeur ultime tenait du miracle. À vrai dire, j'ai beaucoup parlé de l'Afrique en général, et du Rwanda en particulier, entre les mois d'avril et de septembre 2009. Ce faisant, je revenais chaque fois sur l'anecdote du semi-remorque qui s'était renversé sur une route principale, provoquant un énorme bouchon en pleine campagne. Des dizaines de voitures coincées au milieu de nulle part pendant des heures attendaient l'arrivée d'une remorqueuse ou de tout véhicule adapté à la situation... Qu'à cela ne tienne : une armée improvisée de vendeurs ambulants s'était déployée le long de la route. Tout à coup, les automobilistes avaient eu accès à de l'eau en bouteille, à du *chewing-gum*, à des fruits de toutes les formes et de toutes les tailles, à des mouchoirs de toutes les couleurs possibles et imaginables, à des stylos-billes, à des cartes téléphoniques, à des plumes de coq, à des peaux d'animaux... Les marchands avaient surgi des collines et des buissons environnants, souriants, saisissant l'occasion pour transformer un accident de la route en occasion d'affaires, une malchance en oasis.

Devant la maison de Julienne, les voix des enfants qui s'éloignaient s'estompaient peu à peu. J'avais distribué, avec une joie, les jouets que les gens de mon quartier d'enfance m'avaient offerts pour que j'en fasse don aux enfants du quartier qui, dans une contrée lointaine, m'avait accueillie. Des poupées et toutous en peluche de toutes les formes et de toutes les couleurs, des voitures de police, des trains et des camions de pompiers miniatures, des figurines de héros et des dinosaures.

Les enfants se sont évaporés pour aller jouer dans leurs cachettes habituelles.

Julienne, les yeux bouffis et veinés de rouge, toujours en larmes, me tenait fermement la main depuis l'instant de mon arrivée. Au moment où elle m'avait ouvert la porte de sa maison lors de ma première visite, elle avait fait de même avec son cœur. Désormais, les liens que nous avions tissés débordaient largement le cadre d'une relation propriétaire-locataire. Il était pour moi hors de question de vivre au Rwanda ailleurs que chez Julienne, et même si je n'avais toujours pas trouvé le courage de lui avouer qu'un vendredi à l'hôtel me coûtait aussi cher qu'un mois chez elle, je m'étais permis d'exiger quelques améliorations locatives, que je comptais bien sûr financer.

Telle mère, telle fille : Vanessa m'a attrapé la main pour m'attirer vers la maison. Julienne a acquiescé d'un signe de la tête, mais au moment de m'inviter à entrer, elle a été secouée d'une nouvelle crise de larmes.

— Allez, viens !

Je l'ai suivie à l'intérieur en souriant. Nous nous sommes installées toutes les trois sur le divan.

Sans surprise, nous avons fini au « Boui-boui », le petit bar improvisé dans le jardin d'une maison située au coin de la rue. Julienne et moi nous étions rapprochées autour d'une bière, il paraissait normal que nos retrouvailles se fassent un verre à la main. À Montréal, j'avais perdu l'habitude de la bière du Rwanda, toujours servie à la température de la pièce. Ma première gorgée m'a réchauffée jusqu'au cœur.

La soirée a filé comme de l'eau entre nos doigts. Julienne m'a longuement raconté tout ce qui était arrivé dans le quartier pendant mon absence. À l'écouter, ce n'était pas les évènements qui avaient manqué à Kimironko pendant que j'étais au Canada ! Personne n'avait besoin de télé, ici : le moulin à rumeurs tournait à plein régime, et les nouvelles se propageaient à la vitesse de l'éclair. Normal, après tout, dans un pays où la culture de l'oralité a toujours prévalu.

Julienne m'a également mise au fait de ce qui se tramait au Centre César, où la déception de certaines mamans se sentait. Sur papier, le modèle de Maman Nicole était formidable, mais en pratique, il était complexe : elle n'arrivait pas à écouler la marchandise. Et comme elle avait promis de payer tous les produits que les mamans lui fournissaient, elle se retrouvait endettée envers les femmes mêmes qu'elle cherchait à aider. Je savais tout ça, bien sûr. Julienne n'était pas au courant, mais c'était l'une des raisons pour lesquelles j'étais de retour. Je n'avais pas douté que la grogne montait, mais je me souvenais très bien de ce que je lui avais répondu, en lui promettant d'y réfléchir une fois au Canada :

— Je suis là pour t'aider.

La nuit était noire et zébrée de demi-lueurs. Julienne et moi marchions vers la maison, bras dessus bras dessous. Mon amie m'avait manqué plus que je ne l'aurais imaginé. Je ne suis pas du genre à me languir ou à m'ennuyer ; j'aurais même la carapace plutôt dure, selon ma mère. Habiter à l'étranger, être loin de mes proches semblait faire partie de mon ADN. La vie est bien trop courte pour être vécue dans un seul endroit !

Julienne m'a lâché le bras et a poussé un long soupir, avant de lâcher un grand rot bien sonore.

— Ah ! Ma Héréna.

— Je te l'avais dit que je reviendrais, hein ?

Elle a préféré ne pas me répondre, et je n'ai pas insisté. Je veillais à ne pas m'aventurer sur ce terrain miné qu'était le passé tragique du pays, à éviter de nouvelles maladresses dans ce domaine. Pour autant, il n'était pas question pour moi de porter sur mes épaules le poids de ce passé. J'avais beau être blanche et avoir grandi dans un pays riche, j'avais beau avoir gagné à la loterie de la vie, je ne ressentais, ne pouvais ressentir, aucune culpabilité à l'égard des horreurs que des Blancs avaient fait subir au reste du monde. Des Blancs avaient abusé des Africains et pillé les richesses de leur territoire. Convaincus de leur supériorité, ils avaient asservi injustement des peuples entiers, et nous étions encore nombreux à profiter de cet ascendant historique. Si plusieurs en profitaient pour continuer à s'en mettre plein les poches, je n'en étais pas, et je le savais. La couleur de ma peau était un objet de méfiance, et je le comprenais, mais je savais aussi que mes intentions étaient bonnes. De plus, j'avais donné ma parole et je l'avais tenue.

Nous marchions dans la rue ensemble, accrochées l'une à l'autre. Nous nous tenions par le bras comme un vieux couple, nous traversions la nuit, titubions en évitant les nids d'autruche comme nous l'avions fait des dizaines de fois à peine quelques mois plus tôt... mais Julienne n'en revenait toujours pas. Elle s'est immobilisée d'un coup et s'est retournée pour me serrer une fois de plus dans ses bras, jusqu'à ce que mon corps semble se fondre au sien. Malgré la noirceur, j'ai vu ses yeux plonger dans les miens.

— Tu as entendu Vanessa crier lorsqu'elle t'a vue ?

— J'en ai encore les oreilles qui bourdonnent.

Nous avons recommencé à marcher en riant doucement.

— Je crois qu'elle va encore échouer sa troisième année.

— Elle va devoir faire sa troisième année pour une *troisième* fois ?

Encore cent mètres avant d'arriver à la maison.

— Elle n'a pas l'école facile. Tout se brouille dans sa tête lorsqu'elle est en classe.

J'ai attrapé Julienne par la main.

— Il faudrait lui trouver quelqu'un.

— Pour quoi faire ?

— Pour l'aider avec ses devoirs, déjà.

Julienne a posé sa tête sur mon épaule avant de soupirer doucement.

— Et Willy, lui, il va comment?

— Ça va, il est en vacances.

Les saisons sont inversées au Rwanda par rapport au Canada. Les vacances scolaires sont en novembre et en décembre plutôt qu'en juillet et en août.

— C'était qui le garçon avec lui cet après-midi?

— Un ami d'école. Willy m'a demandé si on pouvait l'héberger quelque temps. Il vivait dans la rue.

Nous avons franchi la grille d'entrée du jardin.

— Bonne nuit?

— Beaux rêves.

J'ai longtemps cherché le sommeil. Allongée sur mon vieux matelas, je fixais le vieux plafond fissuré de mon annexe en silence, comme je l'avais si souvent fait lors de mon premier voyage.

Rien ne semblait avoir bougé pendant mon absence. C'était comme si Julienne avait cherché à préserver mon intimité. Je commençais enfin à me sentir dériver vers le sommeil lorsque le coq s'est mis à chanter. Le rire des enfants, le chant du coq, le crépitement du feu et de la pluie... J'avais perdu l'habitude des premiers bruits du jour. Je me suis levée comme un ressort pour enfiler mon short de course, un tee-shirt et mes espadrilles. En sortant, j'ai tout de suite reconnu l'odeur du charbon de bois qui brûlait dans le petit foyer devant la porte de Julienne.

De la vapeur s'échappait d'une grande casserole où bouillait de l'eau. L'ami de Willy était en train d'accrocher des vêtements sur la corde. Nos regards se sont croisés à l'instant où Julienne apparaissait avec un bidon d'eau dans chaque main.

— Beaux rêves?

— Nuit d'insomnie.

— Tu as rencontré Emmanuel?

— Pas encore.

En regardant ses pieds, Emmanuel s'est approché pour me serrer la main. Au Rwanda, la coutume veut que les jeunes ne regardent pas leurs aînés dans les yeux. Je n'avais pas trop su quoi en penser au début, mais j'avais fini par m'y habituer. Tout comme au regard réprobateur que me jetait Julienne chaque fois que je partais courir avec mon petit short.

— Tu vas courir?

— Oui. Et après, je vais aller faire un tour au Centre.

Maman Nicole a sorti la tête de son bureau pour voir ce qui causait le charivari qui envahissait le Centre. Elle m'a saluée d'un petit geste de la main avant de retourner à ses affaires, pendant que les mamans dansaient en scandant mon nom au milieu de la cour. Quel accueil! J'ai retiré mes chaussures sans même les délacer, puis je les ai rejointes.

J'en avais usé, des craies, sur mon grand tableau pour leur enseigner les rudiments de mille et une choses. Et elles s'étaient données à fond. Elles adoraient rire et découvrir. J'avais vu tant de fois leur visage s'illuminer. Portées par une soif de connaissance et une curiosité insatiables. En trois mois, ces femmes m'en avaient appris plus sur la valeur de la vie humaine que ce que je pourrais leur transmettre en une vie. Et entre les cours de gym et d'anglais, les fêtes improvisées et les repas partagés, les soirées au Boui-boui et les conversations à cœur ouvert, une belle complicité s'était développée entre nous.

Les retrouvailles font partie des rituels africains importants, et les embrassades ont duré un bon moment. Tour à tour, les femmes s'informaient de ma santé, me demandaient des nouvelles de ma famille, s'assuraient que mon voyage s'était bien déroulé, s'inquiétaient de savoir si ma valise avait encore une fois été égarée.

— Hélène!

Maman Nicole s'était levée de sa chaise et contournait son grand bureau pour venir me faire la bise. J'étais vraiment contente de la revoir. Elle m'avait accueillie à bras ouverts à un moment de ma vie où j'étais en grande remise en question. Elle m'avait offert un gîte et donné un accès privilégié à son univers sans rien m'imposer en retour. Elle m'avait initiée à sa façon à la vie au Rwanda, et j'étais revenue pour, à mon tour et à ma manière, lui donner un coup de main.

Elle a versé deux cafés, puis nous nous sommes mises à papoter comme si nous nous étions quittées la veille. Les choses ne bougeaient pas très vite au Rwanda, et le quotidien consistait avant tout à pallier les premières nécessités, les conversations gravitent souvent autour des mêmes sujets. La nôtre s'est rapidement orientée vers les finances du Centre.

— Tu te sens prête à passer à l'action, Hélène ?

— Et toi, Nicole ?

Je lui ai répété ce que je lui avais dit lors de notre dernière conversation avant mon retour au Canada.

— Tu m'as dit que tu reviendrais pour m'aider et tu as tenu ta promesse.

— Je suis là.

— Et on va faire comment ?

Son regard s'est assombri lorsque j'ai commencé à parler de « plan stratégique » et d'« autonomie financière ».

— Il faudra faire des choix difficiles...

Quand nous sommes rentrées à la maison ce soir-là, Julienne m'a davantage parlé d'Emmanuel. En sa présence, elle m'a dit qu'elle l'hébergeait le temps des vacances scolaires, alors que plus tôt, en tête-à-tête, elle ne m'avait donné aucune date. Je savais bien qu'elle n'avait aucune idée du temps qu'il passerait chez elle. Je savais surtout que, peu importe la durée, ça ne la dérangerait pas.

Emmanuel avait un joli sourire, malgré une palette abîmée. Il émanait de lui une grande fragilité.

La nuit est tombée comme un couperet. Aussitôt leurs dernières bouchées avalées, Patrick et Willy se sont évaporés dans la nature. Emmanuel m'a alors raconté son histoire. Vanessa écoutait d'une oreille distraite, pour la énième fois, le récit de la vie cauchemardesque de ce garçon de 15 ans.

Né en novembre 1993, Emmanuel était le plus jeune des trois enfants d'une famille originaire de la campagne rwandaise. Père en prison. Mère violée. Brisée, veuve, sidéenne, elle a fini par ne plus avoir la force de s'occuper de ses trois enfants. Elle a alors cédé son dernier fils à un ami de la famille, un riche homme d'affaires de Kigali, qui l'a accueilli. Le garçon faisait la cuisine, le lavage, le ménage. Il est devenu le bon petit serviteur d'un homme qui refusait de l'envoyer à l'école. Résultat : l'enfant a eu besoin d'échapper à la réalité. À huit ans, Emmanuel a commencé à fumer de la marijuana. Pour tenir le coup. Pour s'engourdir. Parce que c'était la seule fuite possible. Un peu comme Zoé, à ce détail près qu'Emmanuel, lui, avait toujours la passion d'apprendre. Au point d'aller à l'école en cachette, même s'il savait bien qu'il ne pourrait jamais passer les examens, puisque son maître ne les lui paierait pas. Rejeté par sa mère, par son soi-disant protecteur, Emmanuel a dû s'enfuir plus loin encore. Il s'est retrouvé à la rue.

Débrouillard et malin de nature, il y a survécu plusieurs mois, grâce à mille et un petits boulots et combines pour manger et payer son herbe.

— C'est là que Willy l'a reconnu.

Je sentais que Julienne était fière de son fils, qui avait connu le jeune Emmanuel à l'école, où les deux garçons s'étaient liés d'amitié. Willy avait immédiatement demandé à sa mère s'il était possible d'héberger son ami désormais sans abri. Elle avait accepté, et dès son arrivée dans la maison, il s'était montré serviable et travaillant.

Je savais bien que ce qu'elle disait était vrai : j'avais remarqué, la veille, que le jeune homme accomplissait tout naturellement les tâches que j'avais l'habitude de voir mon hôtesse exécuter pour moi. Les invités, au Rwanda, sont traités aux petits oignons. Je m'étais souvent sentie comme une reine chez Julienne, mais j'avais tenu et je tenais encore à participer, à mettre la main à la pâte et à m'occuper au moins de mes propres affaires.

C'est ce que j'ai fait d'ailleurs, ce soir-là, en finissant la vaisselle avant de filer au lit. En tentant de m'endormir, je ne voyais que des images de la vie d'Emmanuel défiler derrière mes paupières closes.

Le lendemain matin, en traversant le jardin, je suis tombée sur lui. Il s'étirait pour accrocher des vêtements sur la corde à linge. Encore ensommeillée, je lui ai adressé mon plus beau sourire avant d'aller saluer Julienne, qui chantait enveloppée de la fumée qu'exhalait son *imbabura* (BBQ). À l'intérieur, les enfants préparaient leur rentrée scolaire. Je me suis servi un verre d'eau et me suis mise à mon habituelle routine matinale.

En revenant de ma course, je suis allée retrouver Emmanuel, qui était toujours affairé au lavage. J'aimais m'adonner aux tâches de la maison avec les membres de la famille. Cela me permettait de vivre des moments privilégiés pendant lesquels j'apprenais à les découvrir, et cela équilibrait nos rapports. J'adorais ces enfants, je les trouvais allumés, ils m'inspiraient. Mais je retrouvais le foyer que j'avais connu avec un membre de plus. Je voulais le connaître, lui aussi.

— Tu ne vas pas à l'école ?

— Non.

— Ah bon !

— Je n'ai pas pu passer mes examens.

Je l'ai bombardé de questions. C'était plus fort que moi. Il a fini par m'expliquer qu'il n'avait pas les moyens de payer l'inscription, et que l'homme chez qui il habitait à l'époque avait refusé de lui prêter l'argent sous prétexte que les études ne servaient à rien de bon dans la vie.

— C'est pour ça que tu t'es retrouvé dans la rue ?

— Il me traitait comme un esclave.

— Un esclave?

— Il me faisait tout faire dans sa maison: le ménage, le lavage, le repassage, les courses, les travaux...

— Et il sait que tu habites ici?

— Je ne sais pas. Je m'en fous. Je ne suis rien pour lui.

Je l'ai regardé longuement en tentant de ne pas laisser transparaître mon incompréhension.

Quand l'école a recommencé pour Willy et Vanessa, Emmanuel et moi nous sommes retrouvés à passer beaucoup de temps ensemble. Nous revenions souvent sur les mêmes sujets: l'école, et comment gagner sa vie. Pour lui, les deux étaient indissociables. Par moments, il devenait très émotif; il était comme un lion en cage, sa volonté d'apprendre était plus qu'évidente. Il n'avait que 15 ans, mais il savait très bien ce qu'il attendait de la vie, à laquelle il en demandait, en retour, bien peu. Emmanuel voulait manger à sa faim et avoir un toit. Et pour cela, il savait qu'il allait devoir faire des études.

Plus les jours passaient et plus je lui posais de questions. Plus les semaines s'écoulaient et plus nous nous rapprochions. Nos conversations s'étiraient et, chaque fois, sa détermination m'impressionnait. J'avais envie de l'aider, et de le faire de la bonne manière. Je m'étais fait avoir à quelques reprises lors de mon premier voyage. Me faire jouer à l'occasion ne me dérangeait pas, cela me démontrait qu'il ne suffisait pas de donner de l'argent pour changer la trajectoire d'une vie. Mais entretenir la dépendance et la passivité n'était pas une solution viable à mes yeux. J'étais venue ici avec l'intention d'aider, mais sans avoir pensé à la façon dont je m'y prendrais, sans savoir sur quels critères me baser. Sans savoir comment choisir. Comment pouvais-je décider d'en aider un plutôt qu'un autre, quand tout le monde, ou presque, manquait de tout?

Deux mois s'étaient déjà écoulés. Deux mois à jouir d'une entière liberté d'action, et à multiplier les allers-retours entre la maison et le Centre, où Nicole me demandait des conseils tout en trouvant toujours, de façon inconsciente, des raisons pour ne pas concrètement changer sa manière de faire. Chez Julienne, il y avait Emmanuel qui ne me demandait rien, tout en faisant grandir en moi l'envie de l'aider à chacune de nos conversations. Après deux mois à laisser le temps et le hasard faire leur œuvre, je me retrouvais devant un casse-tête. Comment aider? Et comment le faire en restant fidèle à mes engagements, valeurs et responsabilités?

Un matin, un ou deux jours plus tard, je me suis retrouvée face au beau sourire d'Emmanuel. Après s'être assuré que j'avais le temps de m'arrêter pour discuter avec lui, il est allé chercher dans le jardin l'une des rares chaises en plastique qui n'étaient pas défoncées. Il m'a demandé de m'asseoir et de bien l'écouter. Dans la foulée, il a sorti de sa poche une petite feuille de papier et l'a dépliée. Puis, d'une voix posée, mais résolue, il m'a présenté sa vision de la vie. Compte tenu du contexte, retourner à l'école secondaire était un non-sens pour lui. Une perte de temps.

— J'ai besoin d'un diplôme.

Sans diplôme, il était condamné à faire des petits boulots et à dépendre de l'humeur de ses patrons jusqu'à la fin de ses jours. Sans diplôme, pas de sécurité d'emploi.

— Sans diplôme, je ne peux pas améliorer mon sort. Moi, je veux me marier, fonder une famille, acheter une parcelle de terre et construire une maison.

Emmanuel n'avait pas simplement besoin d'une oreille. Il voulait, il lui fallait, du concret. En l'écoutant me parler de son avenir, j'ai compris à quel point j'avais envie de l'aider. Je le connaissais depuis deux mois. Cela faisait des jours que l'idée me trottait dans la tête. J'étais renversée par sa lucidité et sa maturité. Il me disait qu'il aimait être avec les gens, qu'il voulait être dans l'action.

Nous discutions sous la corde à linge pendant que Julienne chantonnait assise devant son *imbabura* avec Vanessa. La plus jeune de Julienne n'était peut-être pas la plus débrouillarde du monde, mais c'était une bonne fille. Elle venait d'apprendre qu'elle avait échoué sa troisième année. De son côté, Patrick passait le temps avec d'autres jeunes du quartier à se pâmer devant l'énorme semi-remorque Mercedes garé au coin de la rue. Sa plaque d'immatriculation indiquait que le véhicule venait de la Tanzanie ; il avait probablement été conduit jusqu'à Kimironko par quelqu'un qui venait y livrer des marchandises. Patrick aspirait à devenir chauffeur routier et à parcourir l'Afrique. Il rêvait de grandes routes et de voyages, mais ne semblait avoir ni les moyens ni l'audace de poursuivre ce rêve. Il avait plutôt l'air du gars qui s'attend à un miracle. Il ne semblait pas vouloir travailler pour réaliser ce qu'il espérait, au contraire d'Emmanuel, qui cherchait sans cesse à provoquer le destin. La rue lui avait appris qu'on n'a rien sans rien. C'est pourquoi il avait assisté à tous ses cours de première année du secondaire, même s'il savait que son maître ne lui paierait pas ses examens. Contre vents et marées, il voulait apprendre, et avancer.

Je l'ai laissé replacer un drap mal accroché sur la corde avant d'oser intervenir.

— Tu ferais quoi si je t'offrais de t'aider pour tes études ?

— J'irais dans une école de métiers.

— Tu devrais faire ton secondaire, non ?

— J'ai 15 ans. J'ai besoin de travailler. Tu veux m'aider, mais je ne sais pas pour combien de temps.

Je ne savais pas trop quoi lui répondre. Il en a profité pour continuer.

— Avec un an dans une école de métiers, je vais pouvoir me trouver un travail.

Emmanuel était tellement en avance sur moi dans sa réflexion qu'il m'a convaincue d'obéir à mon instinct.

— D'accord. Je te paie ton école.

C'était à son tour de rester bouche bée.

— Tu ferais ça pour moi ? Pourquoi ?

— Parce que je veux t'aider.

Il a relevé la tête. Pour la première fois, il a soutenu mon regard.

— Et tu veux étudier quoi ?

— Il y a une école d'hôtellerie à Kigali et une autre à environ une heure d'ici.

— OK, allons voir celle à Kigali si tu veux.

— Tu ferais ça pour moi ?

— Oui, mais je veux que tu saches que je ne vais pas te donner l'argent directement. Je paierai l'établissement que tu choisiras.

Il m'a regardée de nouveau, cette fois avec le plus beau des sourires.

— Ça marche.

Dès mon retour au Centre, Nicole m'a prise à part pour parler finances. M'attrapant par le bras, elle m'a tirée jusqu'à son bureau.

— On en est où?

— À la même place que la dernière fois.

— Alors, on fait quoi ?

— Honnêtement, Nicole, je n'ai pas beaucoup pensé au Centre ce week-end.

Elle me regardait fixement. J'avais parfois du mal à lire cette femme. J'ai fini par passer l'après-midi entier avec elle, annulant le cours que je devais donner. Depuis mon arrivée, je me réservais chaque jour un moment pour discuter avec elle de son plan stratégique. Mais plus le temps passait, moins nous avancions. Nicole me demandait sans cesse mon avis, et mes idées lui semblaient bonnes, mais difficiles à mettre en œuvre. Nos philosophies étaient différentes. Moi, je défendais l'idée d'apprendre aux mamans à pêcher, de les guider vers l'autonomie. Nicole, avec son grand cœur, ne pouvait s'empêcher d'entretenir inconsciemment leur dépendance.

Je lui avais donné ma parole et je comptais bien l'honorer, malgré mon impression de plus en plus tenace que nos deux manières de voir étaient incompatibles. Pour ce faire, je passais des heures à discuter avec elle, à lancer des idées et à élaborer des stratégies. Je l'encourageais à envisager autrement le fonctionnement du Centre, mais comme elle résistait à la notion de changement et que je ne voulais pas briser notre amitié, j'ai fini par m'éloigner progressivement du Centre. Après tout, c'était son projet.

Emmanuel et moi nous sommes installés dans le jardin en arrivant, par habitude, malgré la température maussade. Un vent tiède s'engouffrait dans les chemises, serviettes, T-shirts suspendus à la corde à linge. Après notre visite, le garçon avait à peine prononcé un mot ou deux dans le bus. J'avais l'impression qu'il s'emmurait dans le silence. Il observait rigoureusement la coutume du regard fuyant.

En vérité, l'endroit que nous venions de visiter ne semblait en rien recommandable. Une école d'hôtellerie sans cuisine était en effet d'assez mauvais augure. L'établissement donnait l'impression d'être une usine à diplômes plus qu'autre chose. Son directeur pédagogique ressemblait à un vendeur de rêves. Son entreprise ne proposait aucun stage de formation sur le terrain et n'assurait aucun suivi sur le marché du travail. Je n'ai pas pu m'empêcher de faire part de mes impressions à Emmanuel.

— On dirait que c'est une école d'imposteurs, non ?
— Imposteurs ?
Je lui ai expliqué le sens du mot. Il a éclaté de rire.
— Ha ! Il y en a beaucoup, ici.
— Chez moi aussi.
Nous étions clairement du même avis.
— Elle est où, encore, l'autre école ?
— Kayonza.
— C'est loin ?

— À une heure de route.

Le lendemain matin, nous nous entassions dans un minibus plein à craquer qui s'arrêtait toutes les cinq minutes pour embarquer de nouveaux passagers. Chaque fois, je me disais qu'on était trop nombreux, et que personne n'oserait plus monter à bord... et chaque fois, je me faisais prendre. Finalement, j'ai atterri sur les genoux d'Emmanuel. Pas d'autre choix. Je ne savais pas combien de passagers cette camionnette pouvait légalement embarquer, mais il me semblait bien qu'il y en avait deux fois plus.

D'après Emmanuel, Kayonza était à environ une heure de Kigali, mais en minibus, le trajet nous a pris deux heures. C'était la première fois que je m'éloignais autant de la capitale. J'avais l'impression de découvrir un autre visage du Rwanda. Si Kigali était la vitrine du pays, sa campagne en était le débarras. Emmanuel ne m'avait jamais caché que son premier choix était l'école de Kayonza. Un de ses amis y avait étudié, et il travaillait désormais dans le plus grand hôtel de Kigali.

L'École d'hôtellerie de Kayonza ressemblait à un bâtiment qui venait d'être bombardé. Son directeur, un bel homme costaud dans la mi-trentaine nommé Shaban, s'est présenté en me regardant droit dans les yeux, ce qui m'a tout de suite mise en confiance. Il nous a fait visiter les salles de classe et les dortoirs, où j'ai découvert que les élèves dormaient à deux et à même à trois dans des petits lits de camp superposés. Shaban nous a ensuite guidés vers la cuisine, dont la vue m'a donné un haut-le-cœur. Mais si les conditions de vie de l'endroit n'étaient peut-être pas dignes d'un cinq-étoiles, le directeur, lui, n'était manifestement pas un imposteur.

Avant que nous repartions, Shaban a tenu à nous préciser que son école s'engageait à trouver des stages de formation à tous ses élèves, et que son taux de placement était de plus de 80 %. Je voyais bien que l'homme qui se tenait devant moi était sérieux et fiable, mais j'étais effarée par l'état des lieux.

J'ai proposé à Emmanuel de prendre un vrai bus plutôt qu'un minibus pour rentrer. Il était hors de question que je fasse encore deux heures de route coincée entre deux coqs et trois costaudes.

— Tu es sûr de vouloir étudier là ?

— C'est mon rêve.

— Ton rêve ?

— Oui.

— Sérieusement ?

— Certain.

Son visage s'est refermé. Il avait l'air nerveux tout d'un coup. Inquiet. Il n'a pas prononcé un seul mot de tout le reste du voyage.

J'ai attendu d'être à la maison avant de briser le silence.

— On se donne la nuit pour y réfléchir ?

— Pas besoin de réfléchir.

Il avait dit ça sur un ton froid, comme s'il me reprochait mon hésitation, et comme s'il se résignait à l'idée qu'en bonne Blanche, je cherchais à me défiler.

J'ai fixé le plafond de ma chambre pendant des heures ce soir-là, me rejouant en boucle ma conversation avec Emmanuel au lieu de dormir. Je n'avais pas cherché à l'affoler pour rien, je voulais juste lui ouvrir les yeux. Parce que son école de rêve était sérieusement déglinguée, et que j'avais peur pour lui. Peur de le voir confiné dans un dortoir comme un animal en cage. Peur que la nourriture préparée dans une cuisine infecte le rende malade. Peur d'envoyer mon enfant dans une école défavorisée.

Mon enfant ?

La réaction d'Emmanuel n'était pas celle d'un bébé gâté, mais celle d'un garçon de 15 ans qui avait peur de voir son rêve lui échapper. Sa peur était légitime et compréhensible, alors que mes peurs étaient injustes, et injustifiées. De quoi avais-je peur, en vérité ? De perdre de l'argent ? Une année à l'École d'hôtellerie de Kayonza coûte 300 dollars US, nourriture et hébergement inclus. Les questions se multipliaient. Le doute me rongeait.

Il ne me restait qu'une chose à faire : téléphoner à ma mère.

Nous sommes restées en ligne jusqu'au lever du jour. Je lui ai parlé d'Emmanuel, de son parcours et de son insatiable envie d'apprendre. J'entendais l'écho de ma voix au téléphone ; ma mère gardait le silence. Plus je monologuais, plus il devenait évident que je n'avais aucune raison de priver ce garçon de son rêve, que j'avais tant envie d'aider. Ma mère m'a répondu une seule phrase, dont je mesure encore les effets aujourd'hui :

— Ton problème, c'est ta solution.

Et enfin, j'ai trouvé le sommeil.

Le lendemain, Emmanuel était déjà dans la cour en train d'alimenter l'*imbabura* lorsque j'ai mis la tête dehors. Les coqs chantaient à tout-va. Les enfants s'agitaient bruyamment. Il flottait une odeur de terre humide dans l'air. On était un vendredi. J'avais rendez-vous avec Maman Nicole au Centre plus tard dans la matinée. Je me suis lentement approchée du feu.

— Tu as bien dormi ?

— J'ai dormi, m'a répondu Emmanuel sur le même ton froid et distant que la veille.

— Tu as réfléchi ?

— J'ai réfléchi.

— C'est vraiment ce que tu veux ?

— C'est vraiment ce que je veux.

Il s'est redressé doucement. Le feu crépitait dans l'*imbabura*. Les yeux d'Emmanuel s'embuaient, et je voyais bien qu'il cherchait ses mots. Ses lèvres bougeaient, mais aucun son ne sortait de sa bouche. Des larmes se sont mises à perler sur ses joues. Du haut de ses 15 ans, il avait plus souvent l'air d'un homme que d'un enfant.

— Très bien. On va retourner à Kayonza lundi pour t'inscrire officiellement.

Il s'est levé d'un bond pour me prendre dans ses bras.

— Merci, Héréna. Merci de tout mon cœur. Tu ne le regretteras pas.

Je lui ai fait un clin d'œil.

— Mais pas en minibus, cette fois.

Ma décision était prise. J'allais lui payer son école. Hors de question de le laisser dans le doute. Sa réaction m'avait ébranlée et révélé une facette de lui que je ne connaissais pas : la peur de l'abandon. Cette prise de conscience m'a amenée à accepter que la nature de mon engagement était en train de changer. Et c'est pourquoi je me trouvais à bord d'un minibus en direction de Kayonza avec Emmanuel au lieu d'être au Centre avec les mamans ce jour-là.

Emmanuel avait invité Vanessa et Théo, son grand frère, à nous accompagner à Kayonza. Théo était en visite chez Julienne. Les deux frères ne s'étaient pas vus depuis longtemps et Emmanuel était fier comme un coq de pouvoir montrer à son aîné l'école où il s'apprêtait à aller étudier. Quant à Vanessa, Emmanuel l'avait invitée spontanément, juste avant de partir. Du coup, avec deux sièges seulement pour nous quatre, les filles se sont retrouvées à devoir faire le voyage coincées sur les genoux des deux frères. Heureusement, il suffisait de jeter un coup d'œil au sourire d'Emmanuel pour oublier ce détail. Il affichait une légèreté et une insouciance que je ne lui avais encore jamais vues.

Le directeur nous a accueillis comme il l'avait fait quelques jours plus tôt, avec son sourire bienveillant et poli, et pendant qu'Emmanuel faisait visiter l'endroit à Théo et Vanessa, je me suis rendue dans son bureau pour parler logistique. L'homme m'inspirait vraiment confiance, j'étais certaine qu'il ne pourrait qu'être bon pour Emmanuel. L'allure de l'école avait beau me décourager, je voyais bien que son directeur avait le pouvoir de faire des rêves de ses étudiants une réalité.

Je ne sais pas combien de temps je suis restée là à discuter avec Shaban. Quand je lui ai fait part de mes inquiétudes, il s'est ouvert franchement à moi des problèmes qui menaçaient son établissement, dont le bail arrivait à son terme. Mais bon! Emmanuel était inscrit, et m'inquiéter ne servait plus à rien. Au moment même où je m'en faisais la promesse, Manu, Théo et Vanessa ont débarqué dans le bureau du directeur, les yeux remplis d'étoiles. On pouvait presque lire sur leur visage les vies possibles qu'ils avaient entrevues en visitant l'école avec Emmanuel. Théo n'en revenait toujours pas.

— C'est toi qui paies tout ça?

— Euh...?

J'ai cherché mes mots, en vain. Théo était encore plus direct que son petit frère. Debout devant moi, les trois jeunes attendaient sagement ma réponse. Rien ne me venait. J'ai regardé autour de moi dans l'espoir de trouver les premiers mots. J'étais dans un bureau qui ne ressemblait en rien à ceux que j'avais connus dans mon ancienne vie à Berlin, à Bruxelles, à Londres... J'avais fait le chemin de Compostelle et même quitté mon pays, ma famille et mes amis, mais là, je me sentais coincée. J'étais mal à l'aise, et ça se voyait.

Le directeur s'est levé et s'est adressé directement à Emmanuel en le regardant droit dans les yeux.

— Je vais te demander d'aller nous attendre à l'extérieur avec tes amis, d'accord?

— Oui, monsieur.

Ils sont sortis du bureau à la queue leu leu. Je me sentais soulagée tout d'un coup. Le directeur a fermé la porte du bureau. On entendait les enfants discuter et rire à l'extérieur. Je me suis levée de ma chaise pour remercier cet homme à la carrure imposante et au sourire rassurant, cet homme que je ne connaissais presque pas et à qui je m'apprêtais à confier « mon fils » que je connaissais depuis à peine trois mois.

— Merci pour tout, Shaban.

— Au plaisir de te revoir, Héréna.

Nous nous sommes serré la main maladroitement. Un petit rire nerveux m'a échappé. C'était ridicule.

— Bon courage.

— À toi aussi.

Emmanuel n'a pas arrêté de parler une minute sur le chemin du retour. Il était excité comme une puce. Vanessa couvrait ses oreilles de ses mains tellement elle n'en pouvait plus de l'entendre. Théo ne l'écoutait qu'à moitié. Il regardait à travers la fenêtre d'un air songeur. Au bout d'un moment, Emmanuel nous a demandé s'il n'en faisait pas un peu trop. Je lui ai répondu que non, pas du tout. Alors, il a penché la tête vers moi et m'a murmuré à l'oreille :

— C'est le plus beau jour de ma vie.

Il a posé son front sur mon épaule. Je n'ai pas cherché son regard. Vanessa dormait comme un ange. Théo m'a fait un petit clin d'œil et a levé les deux pouces. Le chauffeur a rallumé les lumières pour annoncer notre arrivée en gare de Kigali. Emmanuel s'est redressé lentement. Nos regards se sont croisés. Ses yeux brillaient de fierté.

Et dire que j'avais failli me laisser emporter par le doute !

CHOISIR

Décembre était à nos portes. La nouvelle année scolaire approchait à grands pas. Je ne voulais rien oublier. Tout devait être fin prêt pour le grand retour d'Emmanuel à l'école. Tout devait être parfait. J'étais un vrai paquet de nerfs. Encore plus que lui. J'avais pris rendez-vous avec Shaban pour voir aux derniers détails, signer les documents habituels et payer les droits de scolarité.

Kayonza ne m'avait jamais semblé aussi loin. Plein à craquer comme d'habitude, l'autobus roulait à la vitesse d'une tortue, s'arrêtant sans cesse. Quant au chauffeur, il semblait préférer parler au téléphone plutôt que se concentrer sur la route. À côté de moi, une dame n'arrêtait pas de renifler bruyamment. À l'arrière du véhicule, des chèvres bêlaient des insultes.

Heureusement, cette fois, j'avais ma propre place. J'avais fini par prendre l'habitude d'acheter mes billets à un revendeur au lieu d'aller dans les points de vente officiels. Les revendeurs étaient nombreux autour de la gare routière de Kayonza, mais j'avais eu la chance de tomber sur le meilleur, du moins le seul du lot qui était en mesure de me garantir à tout coup un siège à moi.

J'avais rencontré Momo par hasard, un jour où je descendais de l'autobus et où il m'avait refilé sa carte en me faisant un clin d'œil. J'avais éclaté de rire en lisant son slogan publicitaire.

— « Tout est possible » ?

— Je suis l'homme de toutes les situations.

— Attention, je vais te prendre au mot.

— Je n'attends rien de moins, madame.

— Hélène.

— Momo.

Il avait posé sa main sur son cœur en guise de salut et décroché un grand sourire avant de rebrousser chemin.

« Tout est possible. »

J'avais glissé sa carte dans la poche de mon pantalon avant de reprendre ma route.

Nous sommes finalement arrivés avec cinquante minutes de retard. Shaban m'a accueillie comme une vieille amie lorsque j'ai cogné à la porte de son bureau, et notre rencontre s'est déroulée de manière très conviviale. Tous les papiers à signer étaient prêts. Emmanuel avait déjà son propre dossier. Ensuite, Shaban m'a remis une enveloppe contenant le code de vie et les règlements internes de l'École, en me chargeant de les lui remettre afin qu'il en prenne bien connaissance, et qu'il les signe. J'adorais la simplicité avec laquelle Shaban faisait les choses. Il avait une autorité naturelle, un charisme de chef.

J'ai glissé l'enveloppe dans mon sac pour en ressortir une autre. C'était un drôle de moment. Il ne me restait qu'à m'acquitter des droits de scolarité d'Emmanuel, et à honorer ma promesse. Sans un mot, j'ai tendu l'enveloppe à Shaban.

— Tu ne devrais pas me payer d'avance pour toute l'année.

— Ah bon?

— Je vois ce que tu veux faire, mais tu ne sais pas dans quoi tu t'embarques.

— C'est-à-dire?

— Emmanuel vient de la rue. On ne sait jamais avec eux.

Il venait de traiter mon Emmanuel d'enfant de la rue! La franchise de Shaban me choquait, mais pas au point de refuser son offre de me reconduire à l'autobus en moto. Le soleil brûlait tout sur son passage à cette heure du jour, et marcher jusqu'au terminus défiait le bon sens.

Au moment d'enfourcher sa moto, Shaban ne m'a pas tendu de casque, mais il m'a invitée à le tenir fermement par la taille avant d'enclencher la première vitesse et de démarrer sur une seule roue. En nous voyant partir dans la mauvaise direction, je me suis demandé si je n'avais pas accepté son offre un peu trop vite. J'ai pris une grande respiration, pour éviter d'échafauder des scénarios catastrophes, alors que nous continuions à rouler dans la direction opposée au terminus. Au bout d'un moment, j'ai protesté faiblement.

— Euh...? La gare n'est pas dans l'autre direction?

J'ai beau être quelqu'un d'assez brave, je me sentais de plus en plus vulnérable.

— Ne t'inquiète pas! Je veux simplement te montrer quelque chose.

Il s'est retourné – quittant des yeux la route – le temps de me rassurer. Son sourire m'a tout de suite calmée.

Après avoir zigzagué dans des petits sentiers de Kayonza que je ne connaissais pas et où je n'avais aucun point de repère, nous nous sommes arrêtés devant un immense champ de bananes. Nous nous trouvions au centre de trois hectares de fruits d'un jaune éblouissant. La flore était dense. Le regard se perdait presque parmi toutes ces feuilles à travers lesquelles on devinait çà et là de petites habitations.

Shaban m'a tendu la main pour m'aider à descendre de sa moto. Il m'a adressé un nouveau sourire, mais différent du premier. Un sourire qui laissait deviner une grande fierté.

— C'est ici que je vais construire mon école.

— Ton école ?

— Oui, ici, sur ce terrain. Parce qu'il est à moi.

— À toi ?

— Oui, je l'ai acheté, parcelle par parcelle, année après année.

— Sacré projet !

— Projet d'une vie.

— Tu as un plan d'affaires ?

— Un plan de quoi ?

— Un document qui explique comment tu comptes transformer ton champ de bananes en établissement scolaire. Ça aide pour trouver des investisseurs...

— Tout est dans ma tête.

— Ça peut bien être dans ta tête, mais je ne me vois pas dire à un banquier que tu veux transformer des bananes en école ! Il te faut un plan d'affaires.

À la fin de janvier, Emmanuel ressemblait à un étudiant comblé, et moi, je crois bien que je jouais convenablement mon rôle de marraine, compte tenu du fait que je ne le croisais qu'à peine lorsque j'étais de passage à Kayonza. Il faut dire qu'il était bien occupé avec ses études, et moi avec Shaban. Mais il allait bien. Je le savais, je le sentais, et il me le démontrait chaque fois qu'il venait cogner à la porte du bureau de Shaban quand il savait que j'y étais. Il me prenait alors dans ses bras pour me remercier encore et encore.

Shaban aussi était reconnaissant. Nous travaillions vraiment bien ensemble. Je ne savais pas ce qui m'interpellait autant chez cet homme et son projet, mais j'étais comme lui : l'école m'inspirait et me faisait rêver. J'allais donc souvent à Kayonza, et notre plan prenait forme. J'étais revenue à cette manière de fonctionner plus instinctive que j'avais apprise un peu plus chaque jour depuis octobre. Je redevenais cette Hélène-là. Cette Hélène qui flottait dans ses vêtements multicolores aux motifs floraux, qui allait chercher l'eau au puits avec les doyennes du Centre, qui chantait avec les enfants du village... mais la différence, c'est que cette fois-ci, j'étais à ma place.

Aider si concrètement Emmanuel, et maintenant Shaban m'a fait comprendre que mon rêve à moi, c'était d'amener les gens d'ici à réaliser les leurs. Je ne savais pas trop ce que je faisais, mais je savais que j'aidais, et quand je me réveillais le matin, je me sentais bien. Je dormais beaucoup mieux dans mon petit lit au matelas trop dur que sous la douillette trop lourde de tous mes appartements de fonction. Je préférais sentir sur ma peau l'eau de ma douche rudimentaire que celle de n'importe quel grand hôtel européen. Je ne voulais pas partir d'ici. Je voulais rêver avec le directeur et réaliser son projet avec lui, je voulais apporter de l'aide au village, mais je souhaitais aussi respecter l'engagement que j'avais pris envers moi-même. Je m'étais donné deux ans, et la fin de ces deux ans approchait. Les mois passaient et mon visa allait bientôt expirer. Je devais regarder les choses en face : j'avais mon billet de retour pour le pays qui m'avait vue grandir, pour le pays que je ne voyais plus qu'à moitié comme le mien. Légalement, je devais y retourner, mais plus les jours passaient, plus les gens qui m'entouraient trouvaient une place dans mon cœur. Kimironko, c'était maintenant comme chez moi. Pour rester, je devais donc commencer à chercher un boulot plus officiel.

Installée au petit bureau de ma chambre, j'ai entrepris des recherches. J'essayais de ne pas faire trop de bruit en mangeant, pour pouvoir entendre les rires des enfants qui couraient dans les rues de terre rouge autour de la maison. J'imaginais sans arrêt de nouveaux projets de financement pour l'école. Je me cherchais tout naturellement un nouvel emploi en Afrique, sans vraiment envisager d'aller ailleurs. Je voulais rester ici. J'espérais évidemment qu'un poste fait sur mesure pour moi au Rwanda tomberait du ciel, mais si j'en trouvais un ailleurs en Afrique, ça m'irait très bien aussi.

J'ai passé une bonne heure devant mon ordinateur, et j'ai soudain senti que l'ancienne Hélène, la *workaholic*, essayait de reprendre le contrôle de ma vie, qu'elle se battait contre Héréna, l'Africaine, sans savoir laquelle des deux allait l'emporter. J'avais à la fois peur de rechuter, et besoin de recommencer à travailler. Une seule solution : il allait falloir apprendre à gérer mes deux Héréna.

Je suis sortie rejoindre Julienne dans les nuages de fumée du barbecue sur lequel elle était penchée, occupée à préparer le dîner.

— Ça va ?

J'étais toujours stupéfaite par la manière qu'avait cette femme de se soucier du bien-être des autres. Ses yeux avaient vu des horreurs, son corps en avait enduré, mais son cœur, lui, était d'une exceptionnelle pureté. Elle ne serait jamais totalement en paix, mais elle donnerait toujours tout pour que les gens qu'elle aimait le soient. Je l'adorais.

— Ça va un peu, lui ai-je enfin répondu.

Elle a pris ma main dans la sienne sans dire mot.

En regardant les flammes danser, je pensais à l'argent que j'avais mis de côté : ma sabbatique ne m'avait coûté que le tiers de ce que j'avais prévu. Mes économies n'avaient jamais été pour moi une source d'angoisse, mais ce que j'avais épargné pour ma retraite était en quelque sorte mon trésor de guerre. Je ne pouvais pas le sacrifier, si tentant que ça pouvait être. Il fallait donc recommencer à gagner ma vie, comme je l'avais décidé dès le début de ma sabbatique. J'aimais énormément ma vie ici, mais, pour autant, pouvais-je remettre tout le reste en question? Je ne me suis pas permis d'hésiter trop long-temps. Il fallait me remettre devant mon ordinateur et y passer le temps nécessaire pour trouver du travail. Il me restait deux mois. J'ai traversé le jardin pour regagner ma chambre. En marchant, je me suis retournée vers mon amie:

— Oui, Julienne. Tout va. Tout va bien aller.

Je me suis ainsi baladée entre Kimironko, Kayonza et mon écran d'ordinateur pendant deux bonnes semaines. Grâce à mon aide, le plan d'affaires de Shaban prenait forme, au point que je commençais même à penser à investir dans son école. Pour de vrai. J'envisageais de plus en plus sérieusement de donner à Shaban le reste de l'argent que j'avais mis de côté pour ma sabbatique afin de l'aider à entreprendre les travaux. Cette somme lui permettrait de raser sa bananeraie et de couler les fondations de l'école de ses rêves.

C'était la mi-février. Je venais de sortir de la douche après être allée faire mon jogging matinal, duquel j'étais revenue en suant à grosses gouttes quand le *ding!* de mon ordinateur a retenti, m'annonçant l'arrivée d'un nouveau courriel.

La Croix-Rouge avait retenu ma candidature pour un poste au Mali. J'avais envoyé mon CV pour un poste de consultante en développement organisationnel financé par l'Agence cana-dienne de développement international (ACDI). Tout s'était passé très vite. De toutes les offres d'emploi que j'avais trou-vées, c'était celle de la Croix-Rouge qui m'avait le plus allumée.

J'avais donc mon nouveau projet! Je partais vivre au Mali. J'étais sur un nuage.

Je respectais toutes les échéances que je m'étais fixées. J'allais partir dans un mois œuvrer auprès de la Croix-Rouge afin de développer les compétences organisationnelles de son équipe malienne pendant un an. Cela correspondait exacte-ment à mon objectif: apprendre aux autres à pêcher, plutôt que de leur servir un poisson au souper. Dans un an, j'aurais accompli mon travail et je reviendrais. Après avoir donné une bonne formation administrative (en plein mon domaine!), je passerais le flambeau. Julienne, qui m'avait vue rentrer de mon jogging, m'a rejointe dans mon salon.

— Ça va, Héréna ?

J'ai pris mon courage à deux mains avant de lui annoncer la nouvelle.

— J'ai trouvé un emploi, Julienne.

— Pour vrai ?

Ses yeux brillaient d'espoir.

— Au Mali.

Ses yeux se sont remplis d'eau.

— Tu dois partir ?

Elle savait très bien que mon billet de retour pour Montréal était daté du dernier jour du mois de mars.

— On va pas se perdre, Julienne. Jamais.

Je l'ai embrassée sur la tempe pour essayer de la rassurer, en vain. Je connaissais sa sensibilité, même si j'étais encore plus certaine de revenir que la dernière fois. Sa réaction ne m'a pas surprise. Cependant, je ne me serais jamais attendue à celle d'Emmanuel.

Vingt-quatre heures à peine après avoir reçu l'offre de la Croix-Rouge, je retournais mêler ma sueur à celle d'une quinzaine d'autres personnes entassées dans le minibus pour Kayonza. Je m'étais de nouveau habituée à la chaleur étouffante de l'été rwandais et je profitais des rayons du soleil éclatant. Je connaissais désormais par cœur toutes les routes que nous empruntions : ce trajet de deux heures, je l'avais fait trois fois par semaine, ces trois derniers mois, pour me rendre à l'école. Je trouvais ces routes encore plus belles aujourd'hui, parce que je savais que je les quitterais bientôt, très bientôt. Et cette fois, il allait s'écouler un an avant que je les retrouve. J'ai à peine eu le temps de toucher la poignée qu'Emmanuel m'ouvrait la porte.

— Héréna !

Il s'est jeté dans mes bras. Cela faisait environ deux semaines que nous nous étions vus ; les dernières fois que j'étais allée à Kayonza, il avait été trop occupé pour que nous puissions passer du temps ensemble. Je l'ai serré très fort et lui ai demandé :

— Tu as fini tes devoirs ?

— Pourquoi ?

— On va prendre une marche, toi et moi ?

Nous marchions depuis environ vingt minutes. Alors que nous traversions le champ de bananes de Shaban, je me suis arrêtée un instant pour mieux m'imprégner de l'endroit et essayer d'y imaginer une école, qui s'y tiendrait droite et fière. Manu était au courant des plans que j'élaborais avec le directeur de son établissement. Une fois, pendant que nous buvions un chocolat chaud dans son dortoir, il m'avait confié qu'il était aux anges que je m'investisse de la sorte, car ça lui donnait l'assurance que je ne le quitterais pas. Ce soir-là, j'avais simplement souri. En me rejouant cette scène aujourd'hui, toutefois, j'étais prise d'angoisse. Comment allais-je lui annoncer que je m'en allais ? Quand nous sommes rentrés à l'école, je n'avais toujours pas trouvé les bons mots, et j'ai été incapable de lui parler. Il avait un cours, alors il m'a embrassée sur la joue et est parti en courant. Je me suis dirigée vers le bureau de Shaban. Dès qu'il m'a vue, il a senti que quelque chose n'allait pas. L'homme qui se tenait devant moi était sensible et bon, presque trop. Il avait une patience à toute épreuve et un cœur si gros qu'il aurait pu loger son école en entier. Il m'a tendu un Fanta Orange :

— Tu as trouvé un job.

— Oui.

— Tu l'as dit à Emmanuel ?

— Je n'ai pas été capable.

— Tu pars ?

— J'ai été embauchée par la Croix-Rouge.

— Où ?

— Au Mali. Pour un contrat d'un an.

— C'est génial.

— Je m'en vais faire de la formation administrative. Aider les gens sur le terrain à acquérir les compétences et les connaissances nécessaires pour bien acheminer l'aide économique du Canada.

— Mes félicitations !

Shaban avait l'air aussi heureux que moi. Il ne semblait pas inquiet pour l'avenir de notre projet.

— Je vais continuer de t'aider, tu sais.

— Je sais.

Il savait très bien que je n'étais pas du genre à tout abandonner en cours de route.

— Tu dois tout de suite aller le dire à Emmanuel.

— Je sais bien.

Pourquoi n'avais-je pas réussi à le lui dire ? Alors qu'il était au courant que je cherchais du travail, ici ou là-bas, peu importe où, peu importe l'endroit ! Il savait parfaitement que je n'étais revenue que pour six mois et que j'allais ensuite devoir repartir au Canada, ou ailleurs. Nous en avions parlé au moins une bonne demi-douzaine de fois. Nous nous étions entendus là-dessus dès le départ. C'était même l'un de ses arguments massue pour aller à l'école de métiers. Évidemment, j'aurais préféré être avec lui en chair et en os pour le voir progresser et pour pouvoir examiner avec lui ses bulletins de notes, mais c'était impossible !

Je revoyais son expression défaite le soir où il avait pensé que je voulais me défiler parce que l'école n'était pas à la hauteur de mes attentes. Le visage pâle et désemparé de celui qui se croit abandonné. Un autre rêve aux oubliettes. Une autre personne qui le décevait, après sa mère et son soi-disant bienfaiteur.

— Tu vas lui expliquer et il va comprendre, Héréna.

Shaban et moi nous étions beaucoup rapprochés au cours des derniers mois. Nous entretenions notre relation d'affaires, mais nous avions aussi beaucoup de respect et d'affection l'un pour l'autre. Nous nous apprenions beaucoup mutuellement. Il n'avait que faire des gens qui s'inquiétaient qu'il devienne un *Muzungu*, parce qu'il prenait selon eux des habitudes de Blanc. Il n'avait que faire de sa comptable qui lui avait dit qu'il était fou de me faire confiance : il lui avait répondu que même si, comme elle le craignait, je l'abandonnais sans lui donner d'argent, il aurait assez appris avec moi pour que ça importe peu. C'est quand il m'a rapporté cette conversation, je crois, que l'idée de lui donner le reste des économies du budget de ma sabbatique s'est mise à germer dans mon esprit. C'est quand il m'a parlé de son expérience et de ses sentiments que j'ai commencé à penser investissement.

— J'ai aussi quelque chose d'un peu bizarre à t'annoncer.

— Bizarre ? Dans quel sens ?

— Dans le sens imprévu.

— Je t'écoute.

— Tu sais à quel point je crois en ton projet, qui est aussi maintenant un peu le nôtre. Tu sais aussi à quel point je crois en toi...

— C'est très gentil de ta part, Héréna.

— Je ne sais pas, mais j'ai décidé que la première chose que j'allais faire en arrivant au Canada, c'est te virer ce qui me reste de l'argent que j'avais mis de côté pour mes deux années sabbatiques.

Shaban m'a regardée avec deux grands yeux ronds.

— Pourquoi ferais-tu ça pour moi ?

— Je viens de te le dire : parce que j'ai confiance en toi et en ton projet. Je vais t'envoyer 100 000 dollars US. D'après mes calculs, c'est environ ce qu'il te faut pour bien démarrer « notre projet ».

Il en est resté sans voix.

— Mais je compte sur toi pour bien gérer « mon investissement », d'accord ?

Sur le coup, il ne m'a pas crue. Emmanuel non plus, quand je le lui ai dit juste après. J'étais assise sur la seule table libre dans la cuisine de l'École d'hôtellerie de Kayonza pendant qu'il essayait des recettes. Il avait la pièce à lui seul et ses yeux brillaient de tous les rêves que ses professeurs lui permettaient de préserver depuis la rentrée. Depuis quinze minutes, je le regardais se débattre avec un hachoir à légumes gigantesque sans trouver les mots pour lui annoncer que je partais. Peut-être qu'il était aussi difficile pour moi de le lui dire qu'il m'était déchirant de le quitter ?

— Tu sais, je ne voulais pas juste prendre l'air, tout à l'heure.

— Hein ?

Emmanuel s'est retourné pour me dévisager comme si je venais de lui parler dans une autre langue.

— Je voulais qu'on aille marcher pour une raison précise.

— Qu'est-ce que tu veux me dire ? Je ne comprends pas.

Bien sûr qu'il ne comprenait pas ! Je ne lui disais rien !

— Viens t'asseoir avec moi.

Il s'est approché. Son expression trahissait un mélange de curiosité et d'inquiétude.

— Tu ne veux plus payer mon école ?

— Bien sûr que je veux continuer à payer ton école.

— Tu retournes vivre au Canada ?

— Non plus.

J'ai pris une grande inspiration.

— Je me suis trouvé un job. Je vais travailler pour la Croix-Rouge au Mali.

Il m'a juste regardée.

— Pour toujours ?

— Pour un an, mais je vais pouvoir revenir te voir pendant les vacances et te parler au téléphone tous les jours ou presque.

— Ou presque ?

Et il est sorti de la cuisine sans rien ajouter.

BAMAKO

Mai 2010

Se fourvoyer

En débarquant à Bamako, au Mali, je me suis sentie plus déso-
rientée encore, je crois, qu'à mon premier voyage au Rwanda.
Cette fois, en revanche, j'avais ma valise. Mais moi qui, après
deux étés rwandais, croyais pouvoir endurer la plus accablante
des chaleurs, je me suis sentie fondre en sortant de l'aéroport.
J'avais l'impression que le soleil me transperçait.

Un homme qui tenait un carton arborant mon nom en
grosses lettres noires m'attendait. En me voyant, il s'est présenté à moi comme mon garde du corps. Depuis quand avais-
je besoin d'un garde du corps ? J'étais complètement débous-
solée. L'homme m'a invitée à prendre place dans un 4×4 aux
vitres teintées portant l'insigne de la Croix-Rouge.

— Madame Cyr, nous devons veiller à votre sécurité.
Laissez-moi vous conduire à votre nouvelle maison.

Le chauffeur (je refusais, même intérieurement, d'appeler
qui que ce soit mon garde du corps !) m'a conduite à travers le
centre-ville jusqu'à une énorme propriété en briques beiges,
derrière laquelle on entrevoyait une piscine privée. L'endroit
ressemblait à une forteresse. L'homme m'a accompagnée
jusqu'à la porte de la maison, après m'avoir ouvert celle de
la voiture. En me faisant visiter la résidence, dont le luxe
m'apparaissait plus choquant à mesure que je découvrais ses
trop nombreuses pièces, il m'a expliqué que l'occupant précédent avait promis à son cuisinier, à son homme de ménage et

à tous ses employés qu'avec moi, ils garderaient leur emploi. Il n'aurait jamais dû leur parler à ma place, leur promettre une telle chose sans me demander mon avis. Quand je leur ai dit, lors d'une brève conversation, que je n'aurais pas besoin d'eux, ils ont tous fondu en larmes. J'avais passé des mois à vivre avec une famille, à tout faire à leurs côtés, je n'allais pas accepter d'avoir des domestiques. Le jardinier, un homme d'une cinquantaine d'années aux allures de bon vivant, a réussi à me convaincre qu'il serait absurde de ma part d'insister pour m'occuper seule du jardin. Je lui ai donné raison et lui ai demandé s'il était prêt à m'aider à faire le ménage et un peu de cuisine.

— Je crois que nous allons bien nous entendre, madame.

En me guidant jusqu'à ma chambre, le chauffeur – garde du corps – m'a expliqué que je pouvais refuser l'aide domestique mise à ma disposition, mais qu'en revanche, sa présence à mes côtés et sa surveillance constante étaient obligatoires. Il y avait parfois des prises d'otage ici, et le danger était réel pour les expatriés ; il était hors de question pour la Croix-Rouge que je ne sois pas protégée en tout temps.

— Je peux aller me coucher seule ou vous devez dormir avec moi, aussi ?

— Bien sûr que vous pouvez dormir seule, madame.

Il n'avait pas pu s'empêcher de rire un bon coup avant d'ajouter qu'il était déjà passé 20 heures, et que le couvre-feu avait sonné.

J'ai soupiré de nouveau. Mais comme le lendemain était ma première journée au bureau, je me suis résignée à aller me coucher. Heureusement, le décalage m'a aidée.

Encore une fois, moi qui avais déjà quitté ma vie de *workaholic* pour plonger dans l'inconnu, je me retrouvais face à un tout nouveau projet. Un véritable saut dans le vide. Et ce qui me faisait trembler tout en me donnant confiance, c'est que ce défi-ci me ressemblait. Cette fois, la tête et le cœur étaient de la partie, et les deux Hélène, l'Africaine et la Québécoise, y trouvaient leur compte. Je retournais dans la machine, oui, mais cette fois-ci, il était hors de question de la laisser prendre le dessus. Je venais aider des Maliens, je venais mettre mes talents d'ingénieure et de *businesswoman* au service du bien commun, par des moyens concrets.

Cependant je me sentais bien seule dans ma nouvelle maison aux pièces trop nombreuses.

Je me suis enfin endormie, assommée par le décalage horaire et la fébrilité. Quand je me suis levée le lendemain matin, j'ai suivi le chemin que m'avait expliqué mon chauffeur au moins dix fois et, cinq minutes plus tard, je me trouvais devant un bâtiment d'un étage flanqué d'un entrepôt. J'ai franchi la porte en me répétant que mon retour au travail se faisait à mes conditions. Les bureaux de la Croix-Rouge malienne contrastaient avec le luxe dans lequel j'étais hébergée ici.

Un frisson m'a parcourue, faisant frémir les gouttes de sueur dont ma peau était recouverte. Mais je me suis efforcée de rester confiante.

Trente jours. Il m'a fallu trente jours pour comprendre que je m'étais trompée. J'avais constaté, une fois sur le terrain, que le mandat que j'avais accepté ne correspondait pas du tout à ce qu'on me demandait maintenant de réaliser. La Croix-Rouge voulait, comme moi, développer les compétences des Maliens dans le but de leur faire acquérir plus d'autonomie, mais le bureau-chef, qui la finançait, avait des ambitions bien différentes.

Cela faisait un mois que j'étais à Bamako, et je n'avais toujours formé personne. Je me baladais en voiture de luxe et passais mon temps à éviter mon garde du corps, lequel rentrait chez lui à pied tous les soirs en laissant sa voiture sur place pour donner l'illusion que la maison était sécurisée. Je communiquais presque exclusivement avec des Américains et des Européens, qui continuaient de m'inviter à leurs soirées hebdomadaires d'expats même s'ils savaient maintenant que je préférais de loin aller traîner dans les cabarets du centre-ville pour y rencontrer les locaux autour d'un Fanta Orange, d'un Coca ou d'une bière.

Je voulais apprendre ce que je savais aux Maliens qui travaillaient dans le même milieu que moi, j'espérais leur enseigner à administrer des budgets, à faire des rapports au bureauchef, à gérer le terrain... Or, je me retrouvais à devoir faire à leur place précisément ce qu'on m'avait dit que j'allais leur enseigner, et ce, pour faire mieux, plus, et plus vite.

Trente jours depuis le début de mon contrat, et déjà je rêvais d'être de retour à Kayonza. J'aurais voulu être assise dans le bureau de Shaban, à réfléchir avec lui à notre nouvelle école. Je savais qu'en lui laissant autant d'argent, j'avais pris un risque, mais je n'étais pas inquiète. Il prenait un risque, lui aussi, et j'aurais voulu être à ses côtés.

Je commençais à douter, mais je savais que je devais me laisser un peu plus de temps. J'étais ici pour un an, il fallait que je trouve une manière de m'adapter. Peut-être était-ce simplement ça: une question d'adaptation? Je devais me laisser une chance, et en laisser une à ce contrat. Sans vraiment y croire, je me suis promis de me concentrer sur ce que je pourrais tirer de bon de cette expérience, même si, pour l'instant, j'avais surtout le sentiment d'être une riche expat pas trop à sa place.

Il était 19 heures, la nuit était tombée et je rentrais du travail. J'ai salué Moussa, mon jardinier, qui m'a fait un petit geste de la main, et j'ai gravi le grand escalier qui menait à ma chambre en m'accrochant à la rampe qui brillait de propreté. Je me suis changée en deux temps trois mouvements. Il y avait bien longtemps que je n'étais pas allée courir en soirée, moi qui avais plutôt l'habitude d'aller dévaler les rues pour me réveiller.

J'ai descendu l'escalier encore plus vite que je l'avais gravi et me suis engouffrée dans l'humide noirceur malienne. Je me suis rendue au parc le plus proche de la maison en faisant le bilan des deux dernières années. J'avais découvert un nouvel aspect de moi. J'avais ri, j'avais voyagé, j'avais fait les plus belles rencontres de ma vie. S'il y avait bien une chose dont j'étais certaine, c'est que c'était la version la plus heureuse de moi qui s'était affirmée. Allais-je pouvoir passer un an dans un milieu de travail qui me grugeait déjà mon énergie? Je ne connaissais que trop ma passion presque nocive pour l'efficacité. J'aimais l'administration, mais j'avais peur de redevenir un bourreau de travail. Et d'être malheureuse.

Je commençais à paniquer. Pour ne pas me laisser envahir par mes angoisses, je me suis laissé envelopper par le vent chaud qui fouettait mon visage pendant que je courais.

— Madame Cyr!

Je me suis retournée. C'était mon chauffeur-garde du corps, au volant de son 4×4, qui m'interpellait. Il m'avait suivie jusqu'ici et, depuis tout à l'heure, il tournait autour du parc en voiture en m'observant faire mon jogging. J'avais envie de crier et de pleurer. Le jour, j'étais dans des bureaux à pousser le crayon, alors que je rêvais d'être sur le terrain. Et le soir, je me sentais en prison. Je ne pouvais pas rentrer chez moi sans être suivie par un grand costaud qui surveillait mes moindres gestes. J'étais si loin de la simplicité de ma vie rwandaise!

J'ai couru jusqu'à cette immense maison où je me sentais si peu chez moi, ai franchi sa grille, et sauté dans la piscine tout habillée.

Qu'il vienne me chercher ici, mon garde du corps-chauffeur!

Un mois plus tard, j'en avais plus qu'assez du modèle colonial. Assez des faux-semblants. J'avais beau essayer de garder l'esprit ouvert, je prenais peu à peu conscience que la Croix-Rouge distribuait des poissons au lieu d'apprendre à pêcher. Mon contrat était fantastique sur papier, mais beaucoup moins sur le terrain. J'étais dans un cul-de-sac. Encore une fois, j'étais confrontée au fait que le rôle que je m'étais choisi n'était pas pour moi.

Je n'en pouvais plus de me sentir comme une lionne en cage. Alors, j'ai commencé à aller souper en cachette dans la famille de mon jardinier. En cachette, car il m'était interdit d'y aller, « pour des raisons de sécurité ». Moussa et moi avions développé une belle complicité depuis mon arrivée. Il était à peu près le seul que je fréquentais depuis le début de mon mandat, le seul à qui j'avais réellement envie de parler. Il vivait avec sa famille en banlieue de Bamako, et ils étaient d'une pauvreté effarante tout en étant d'une grande générosité. J'avais beaucoup d'empathie pour eux tous, et, ce soir-là, c'est eux qui en ont eu pour moi.

— Je n'aime pas ça ici.

Les enfants étaient interloqués. Le plus vieux, Karim, m'a regardée d'un drôle d'œil.

— Papa dit que tu as une des plus belles maisons de tout Bamako.

L'évidence m'a alors sauté au visage : je n'arrivais à être bien au Mali que lorsque je renouais avec mon mode de vie à la rwandaise. C'est pour cela que les soirées chez Moussa étaient devenues si importantes pour moi : elles ressemblaient à celles que je passais en compagnie de Julienne. C'étaient des soirées de véritable partage.

Ce soir-là, la sonnerie du téléphone a retenti dans l'immense maison. J'ai couru dans le noir pour y répondre

— Maman ?

— Hélène ? Ça ne se passe pas comme tu veux au Mali, ma fille ?

— Je n'en peux plus.

— Tu pleures, Hélène ?

Je lui ai tout déballé. Que tous les drapeaux rouges qui s'agitaient juste avant que je quitte CAE s'agitaient encore une fois.

— Je suis ici pour former des Maliens, pas pour pousser le crayon dans un bureau.

— Si tu te sens comme ça, c'est que tu te retrouves devant une impasse que tu connais trop bien.

Ma mère a attendu un instant avant de reprendre parole. J'avais encore la gorge trop nouée pour lui répondre.

— Et Shaban, lui, il va comment ?

— Bien, je crois. Il m'a envoyé un courriel aujourd'hui.

J'attendais de l'avoir lu avant de l'appeler par Skype.

Je cherchais son message dans ma boîte de courriels pendant que ma mère continuait à me prodiguer ses conseils.

— T'es peut-être juste pas une bonne expat ?

Je connaissais la réponse. Il était même absurde de croire que je pouvais continuer à faire semblant. J'avais signé pour un an, mais quatre mois plus tard, je savais que ma place ne pouvait pas être dans un système qui me ressemblait si peu.

J'ai ouvert la pièce jointe que contenait le courriel de Shaban. Une photo de la bananeraie est apparue sur mon écran. Enfin, ce qui en restait. Là où s'étaient dressées des centaines de bananiers quelques mois plus tôt se trouvaient maintenant les fondations de notre future école. Un rêve était en train de se réaliser. J'ai lu le mot de Shaban sous la photo :

« J'ai bien hâte que tu viennes voir tout ça.

Joyeux anniversaire à l'avance.

J'espère que tu vas bien,

Ton partenaire et ami

Shaban »

Bien sûr, j'aurais pu rester au Mali jusqu'à la fin de mon contrat, histoire de tenir parole. Mais pour quoi faire ?

Dès le lendemain matin, j'étais en ligne avec le bureau-chef d'Ottawa. Je revenais de courir sous surveillance. J'étais encore trempée de sueur. Le soleil tapait déjà fort. Je ne ressentais aucune anxiété à l'idée d'annoncer ma décision. La photo de l'école m'avait rappelé où était ma place. Il n'y avait pas une once d'hésitation en moi. Je n'avais aucun sentiment d'appartenance pour l'endroit où je me trouvais.

Les mots sont sortis de ma bouche sans aucun effort. Mes patrons ont accepté ma décision et mes deux semaines de préavis sans trop rechigner. Je n'avais jamais abandonné une mission en cours de route. Mais je savais que c'était la meilleure chose à faire. Après avoir raccroché, j'ai composé un autre numéro.

— Allô ?

— Maman ? Tu avais raison. Je ne suis pas une bonne expat.

Kayonza

Octobre 2010

VIVRE

Le jumbo-jet tournait en rond au-dessus de Kigali. Les Mille Collines se dessinaient à travers les hublots. Brusques secousses. Attachez vos ceintures. Vertige. Je me suis agrippée aux accoudoirs. Le coffre à bagages de la rangée d'à côté s'est ouvert. Un sac Louis Vuitton s'est écrasé par terre au milieu de l'allée.

J'ai repensé à mon excédent de bagages. Ma guignolée improvisée avait encore fait un carton. Pas d'élégant sac Vuitton pour moi : je revenais à Kimironko chargée de vieilles valises XXL pleines de jouets. Passer toute cette cargaison à la douane n'irait pas de soi. Tous les scénarios étaient possibles, dont la confiscation de toutes ces belles petites surprises. Je croisais les doigts.

De nouveau, violentes saccades. L'avion nous ballottait. Grincements métalliques sous les ailes. Sortie des trains d'atterrissage. Les agents de bord ont fait un dernier tour de la cabine. Consignes et vérifications d'usage. Une voix a résonné dans les haut-parleurs. Au nom de la compagnie, le pilote nous a remerciés de notre fidélité. Derniers sursauts. L'avion a piqué du nez. La piste s'est déroulée à perte de vue. Les roues ont touché le sol. Rebond. Vrombissement des moteurs. Freinage appuyé. Applaudissements et hourras. Bienvenue à Kigali. Tout le monde descend.

Emmanuel, Julienne, Shaban... J'avais si hâte de les retrouver. Mon pays d'adoption, ma tribu, ma gang. La longue escale d'un mois à Montréal m'avait surtout amenée à comprendre et à accepter cette évidence : ma passion, ma vie se trouvaient maintenant au Rwanda. Enfin, c'est ce que j'essayais d'expliquer au chauffeur de taxi pendant qu'il s'éreintait à charger mes valises XXL dans le coffre de son 4x4. Il a sursauté quand je lui ai annoncé ma destination.

— Kimironko ?

— Juste à côté de la prison.

La circulation était fluide. Les voitures peu nombreuses. Le chauffeur conduisait prudemment. Les fenêtres du 4x4 étaient grandes ouvertes. Je fendais l'air de mes doigts. J'aspirais la fumée et les odeurs de la ville. Je reniflais les mille parfums de l'Afrique, retrouvais avec émotion cette oscillation entre l'ordre et le désordre, typique du Rwanda. Je renouais avec les rues de terre rouge de mon quartier. Mon cœur s'est serré quand le taxi a tourné dans la rue de Julienne. La maison se trouvait un peu plus loin sur la gauche.

— Arrêtez-vous !

— Là ?

— Maintenant.

— Ici ?

— Oui.

Le 4×4 s'est stationné le long du mur de ciment qui entoure la maison. Avant d'ouvrir ma portière, j'ai tendu deux billets au chauffeur en lui disant de garder la monnaie. J'ai aperçu le regard de Julienne avant même d'avoir mis un pied hors du taxi. Elle bondissait sur son perron, comme une sauterelle. Le chauffeur s'est occupé de décharger mes valises de jouets. Déjà, des enfants affluaient de toutes parts, des attroupements de petits curieux se formaient autour de l'entrée de la maison. Certains me saluaient, d'autres pas, n'ayant d'yeux que pour mes sacs. J'avais l'impression de revivre le même scénario que la dernière fois. La preuve : Julienne venait tout juste de me sauter dans les bras pendant que Vanessa hurlait mon nom à pleins poumons.

— Héréénaaa !

— Vaneessaaa !

Sur le coup, je n'ai pas remarqué Patrick, qui observait la scène depuis l'autre côté de la rue, avec des copains. Je lui ai fait signe de venir prendre part à notre étreinte, et il ne s'est pas fait prier.

Les enfants rôdaient comme des petits loups autour de mes valises. J'ai serré Patrick très fort dans mes bras. Le chauffeur a klaxonné deux petits coups avant de se remettre en route. Je l'ai regardé s'éloigner jusqu'à ce qu'il disparaisse dans un nuage de poussière. Je scrutais l'horizon malgré moi. Inconsciemment, je cherchais Emmanuel.

Patrick a fait signe à ses copains de l'aider à transporter ma cargaison de jouets jusqu'à la maison. Julienne et Vanessa pleuraient toujours à gros bouillons. Elles avaient du mal à relâcher leur étreinte, mais les enfants piaffaient tellement d'impatience autour de nous qu'elles ont fini par me laisser aller. J'en ai profité pour ouvrir une valise et distribuer un premier lot de cadeaux. Mes surprises se sont envolées comme des petits pains. Les enfants se sont dispersés aux quatre vents en poussant des cris de joie, puis sont revenus en courant dans tous les sens. Leur état de surexcitation dépassait l'entendement. Patrick et ses amis se tordaient de rire.

La voisine d'à côté a entonné un chant traditionnel. Vanessa et Julienne se sont jointes à elle. Un groupe de fillettes s'est mis à danser sous le regard timide des garçons, qui les observaient de loin.

Enfin, j'étais de retour.

La nuit s'est chargée de couper court à notre petite fête improvisée. J'avais oublié qu'elle tombait si vite ici. La cour s'est vidée en un clin d'œil, sans au revoir ni cérémonie. Je n'étais pas autant choquée que surprise. Même Vanessa et Patrick étaient rentrés. Julienne m'a regardée en haussant les épaules, comme pour me rappeler de ne pas mal le prendre.

— Boui-boui ?

— Boui-boui.

Je me suis accrochée à son bras pour mieux affronter la noirceur et nous avons remonté la rue en direction du café. Un léger brouillard se levait. Le bruissement des ailes des insectes dans l'herbe nous empêchait presque de nous entendre. Les échos confus de nombreuses voix résonnaient. Julienne a posé sa tête sur mon épaule. Je lui ai caressé la main. Ce moment de complicité absolue et l'émotion des retrouvailles m'ont fait monter les larmes aux yeux.

Je nous ai commandé deux bonnes bières chaudes pendant que Julienne s'installait à la table de plastique près de l'entrée. Les habitués du lieu étaient restés fidèles au poste durant mon absence. Zoé a levé son verre à ma santé en me voyant. J'ai trinqué avec elle. Nous avons fait cul sec. La nuit venait peut-être de tomber, mais la soirée ne faisait que commencer. Et j'avais tout un rattrapage à faire !

Julienne a passé le reste de la soirée à me mettre au fait des derniers potins du Centre et du quartier. Parfum de déjà-vu. Nouvelles vagues de vols avec effraction à Kimironko. Suspects habituels. Silences prudents. Au Centre, Maman Nicole se débattait toujours avec les problèmes financiers. Emmanuel se portait très bien. Sa première année scolaire tirait à sa fin et tout indiquait qu'il allait réussir haut la main. Mais, ça, je le savais. Nous nous étions beaucoup écrit, lui et moi, pendant mon absence, et sa motivation me semblait évidente. Je me doutais bien qu'il prenait ses études au sérieux. Mais l'entendre de la bouche de Julienne ne me faisait pas du tout le même effet. Cela avait éveillé en moi des émotions inconnues.

À l'inverse d'Emmanuel, Shaban ne m'avait vraiment écrit qu'une seule fois pendant mes quelques mois au Mali, pour m'envoyer la photo de la bananeraie où il était en train de construire notre école.

Shaban…

Julienne et moi sommes restées à rire et à jaser jusque tard dans la nuit, avant de tituber de fatigue dans le noir jusqu'à la maison. Je ne sais pas où j'ai trouvé le courage de prendre une douche, mais la vigueur des jets d'eau sur mon corps a apaisé mon esprit embrumé, et j'ai dormi à poings fermés.

J'avais oublié que le Rwanda est l'un des pays d'Afrique les plus densément peuplés. La notion de bulle n'est pas la même ici qu'au Canada. Je ne me souviens pas d'avoir été à ce point coincée dans un minibus de toute ma vie. Au point de ne pas pouvoir me gratter le nez. Au point d'avoir du mal à respirer. J'avais l'impression d'être soudée aux corps des autres voyageurs. Kayonza ne m'avait jamais paru aussi loin. Jamais je n'avais autant joué du coude pour descendre en arrivant à une gare.

— Héréna?

— Momo?

Mon copain vendeur de billets m'a attrapée au passage.

— Tu es là depuis combien de temps?

— Hier.

Momo m'a accompagnée jusqu'à l'arrêt du bus qui dessert le secteur de l'école. Après m'avoir demandé des nouvelles de ma famille et de mes amis, d'Emmanuel et de Shaban, il m'a reparlé de son projet: se bâtir un poulailler et vendre des œufs pour offrir une meilleure vie à sa femme et à ses cinq enfants.

— Tu as préparé ton plan d'affaires?

— Tout est dans ma tête.

— Tu m'en reparleras quand tout sera sur papier.

Le bus arrivait. J'ai fait un clin d'œil à Momo avant de monter. Son idée n'était pas folle. Loin de là. Il y avait une réelle demande pour les œufs frais. Mais je devais rester fidèle à ma ligne de conduite: pas de plan d'affaires, pas de négociation!

J'étais tellement concentrée sur cette question que j'ai raté mon arrêt, mais ça m'a permis de constater l'état lamentable du bâtiment où Emmanuel venait de passer l'année à étudier : un champ de ruines. Un lieu indigne de l'apprentissage. Emmanuel méritait mieux. La vocation d'enseignement de Shaban aussi.

Je suis descendue à l'arrêt suivant... pour me retrouver au beau milieu d'un champ. Découragée, j'ai regardé le bus s'éloigner avant de prendre la direction opposée. À vue de nez, je devais en avoir pour une trentaine de minutes.

Au bout d'un moment, j'ai réalisé où je me trouvais : dans la photo. La photo que Shaban m'avait envoyée pendant que j'étais au Mali. La photo qui m'avait poussée à revenir au Rwanda. J'ai pivoté sur moi-même pour bien étudier les alentours et être sûre et certaine de mon affaire. Oui, je me trouvais pile à l'endroit où Shaban avait pris la photo des travaux. La photo qu'il m'avait envoyée au Mali. Le seul et unique message de lui que j'avais reçu depuis que je lui avais viré de l'argent.

La photo de Shaban datait déjà de quelques mois, et depuis, le chantier avait vraiment progressé. Ce n'étaient plus seulement des fondations que j'avais sous les yeux, plusieurs murs avaient été montés et des esquisses de salles de classe se dessinaient. Je regardais le chantier et j'essayais de m'imaginer l'école terminée. Avec des élèves et des professeurs circulant entre les murs. Dans le brouhaha de rires et de voix.

À quoi tout cela allait-il ressembler ?

Pensée émue pour mon ami Shaban. J'admire ton courage et ta détermination. Trop hâte de te revoir.

Le ciel était chargé de nuages. Il était temps de me remettre en marche.

Oh ! Oh ! Quelqu'un derrière moi a couvert mes yeux de ses mains.

— Coucou. C'est qui ?

— Shaban ?

Je me suis retournée d'un coup sec.

— Emmanuel.

— Héréna.

Je me suis blottie dans ses bras pendant de longues secondes. J'ai soudain réalisé à quel point il m'avait manqué.

— Ça va ?

— Oui.

Je n'arrivais toujours pas à croire qu'il se trouvait devant moi. Emmanuel semblait avoir poussé encore plus vite que l'école. Même sur la pointe des pieds, j'étais trop petite pour que mes yeux soient à la hauteur des siens. Je l'ai serré à nouveau contre moi. C'est fou comme on peut s'attacher à quelqu'un en si peu de temps.

— Mais qu'est-ce que tu fais là ? Tu n'es pas en cours ?

— Shaban m'a dit que j'avais de bonnes chances de te trouver ici.

— Il a dit ça, lui ?

— Il m'emmène souvent sur le chantier pour suivre l'avancement des travaux. Ça nous donne aussi l'occasion de parler de toi.

— Et ça va, vous deux ?

— C'est le principal de mon école !

Nous avons éclaté de rire. Shaban portait en effet beaucoup de casquettes, comme on dit : directeur, père, oncle, parrain, tuteur, patron, enseignant, mentor, consultant et... partenaire. Un partenaire qui avait non seulement rasé sa bananeraie au beau milieu de l'année scolaire, mais aussi fait couler les fondations de sa future école, monté des murs des salles de classe, recruté de nouveaux enseignants, trouvé des stages de formation pour ses étudiants, encadré les démarches de recherche d'emploi de ses diplômés, etc.

— Ça va, vous deux ?

Shaban venait de surgir de nulle part.

On s'est sauté au cou, dans un mélange de rires timides et de grands soupirs de soulagement. Emmanuel observait nos retrouvailles d'un œil attentif. Depuis le début, il se trouvait aux premières loges de ce projet unique en son genre. Sans Emmanuel, pas d'école de métiers. Sans école, pas de Shaban. Sans Shaban, pas de projet de nouvelle école. Sans projet, pas de raison d'être ici. Sans raison d'être ici, pas moyen de venir en aide...

J'ai posé mes mains sur les épaules de Shaban afin de bien le regarder, droit dans les yeux. Il y avait des notes de bonheur, d'excitation et d'affection dans son regard. J'en étais émue aux larmes. J'ai fait un geste en direction de la bananeraie.

— C'est incroyable, ce que tu as fait !

— Ça ne fait que commencer.

— C'est tout de même bien parti, non ?

— Les travaux doivent être terminés à temps pour la prochaine rentrée.

— Dans trois mois ?

— On doit absolument commencer la nouvelle année dans la nouvelle école.

— Pourquoi ?

— J'ai donné quittance.

— Pour vrai ?

— Je n'avais pas le choix.

Il y eut soudain un peu de nervosité dans l'air. On aurait entendu une mouche voler. J'ai attrapé Emmanuel d'une main et Shaban de l'autre, et je les ai serrés fort dans mes bras. Nous nous retrouvions tout à coup devant un sacré défi. Je ressentais le même mélange d'excitation et d'angoisse que la veille de mon départ. Mon regard s'est attardé quelques secondes sur Emmanuel avant de se poser sur Shaban. Le premier affichait une confiance et une sérénité désarmante, tandis que le second arborait son sourire des grands jours.

— Trois mois ?

— Trois mois et six jours.

ÉDIFIER

Construire une école au cœur de l'Afrique est toute une aventure. Encore plus dans un pays comme le Rwanda où les notions de règles, d'ordre et de sécurité publique sont très valorisées. Surtout quand l'application concrète de bon nombre de ces règlements se révèle un casse-tête, et que chaque jour apporte son lot de problèmes à résoudre et de défis à surmonter. Mais, fidèle à lui-même, Shaban maintenait le cap sans fléchir, imperméable aux imprévus et autres rebondissements. À coups de « ça va aller » et « tout est possible », il suivait de près l'évolution des travaux pour s'assurer que personne ne perde de vue l'objectif suprême : édifier une école d'hôtellerie en trois mois.

Rassembler une équipe d'ouvriers. Créer des structures qui s'emboîtent les unes dans les autres pour former un tout. Prévoir et gérer un budget. Disposer des liquidités suffisantes. Surveiller de près les livraisons. Payer à temps les fournisseurs. Faire le tri entre les bons et les mauvais. Poser les bonnes questions. Exiger des réponses claires. S'assurer que personne ne tourne les coins ronds. Éviter les dépassements de coûts. Prévenir le vol et les magouilles...

Construire une école au cœur de l'Afrique est une sacrée aventure.

Sans même parler des réactions que notre projet provoquait de l'autre côté de l'Atlantique. Ou de l'incompréhension suscitée par la chaîne de courriels que j'ai envoyée à mes proches pour les tenir au courant de mes aventures rwandaises et de l'évolution des travaux.

« Investir dans une école de métiers au Rwanda ? Tu es tombée sur la tête ou quoi ? », « Tu es ingénieure, Hélène. Pas enseignante... », « J'ai trouvé le titre de ta biographie : la vice-présidente qui était devenue travailleuse de la construction ! »...

Pendant ma parenthèse montréalaise, j'avais préparé une réponse toute faite pour ceux qui se montreraient sceptiques à l'endroit de mon projet. Parce que j'en avais assez de les entendre. Assez aussi de leurs perpétuels : « Mais qu'est-ce que tu peux bien vouloir aller faire là-bas ? »

« Vivre. »

Le mot qui incarne tous mes grands rêves, qui englobe toutes mes aspirations.

Vivre.

À l'image du projet un peu fou de construire une école où les décrocheurs pourraient trouver à quoi à se raccrocher, un lieu où accompagner des centaines de jeunes étudiants en quête d'indépendance et d'autonomie. Un projet utopique que Shaban avait nourri en secret pendant des années, avant de le voir se réaliser, contre toute attente, avec mon aide.

Dans l'autobus, en rentrant chez Julienne, chez moi, j'ai pensé à cette réponse : « Vivre ». J'ai pris une grande respiration. Le bus roulait tranquillement sur une route étroite bordée de collines. J'ai regardé défiler les paysages à travers la fenêtre.

Je me trouvais quelque part entre Kayonza et Kimironko. Je venais de quitter Shaban, ma seconde famille m'attendait pour souper. J'étais à ma place. À l'endroit précis où j'avais envie d'être. Sur la route, et un peu trop coincée comme dans une boîte à sardines. Mais à ma place.

Debout sur une patte devant la maison, Vanessa ressemblait à un flamant rose dans son grand tee-shirt fuchsia.

— Hééénaaa !

— Vaneessaaa !

— Allez, viens. On a préparé des brochettes de poisson.

— « On ? »

Vanessa est une bonne fille. Elle est gentille et intelligente, mais pas de nature volontaire ou dégourdie. Son sens de l'initiative se résumait dans les circonstances à regarder sa mère tout faire à sa place. Comprenant très bien le sens de ma remarque, elle a froncé les sourcils avant de me lancer un sourire entendu. Son niveau d'enthousiasme sortait de l'ordinaire.

Elle m'a attrapée par la main et attirée dans la cuisine, où Julienne s'affairait à mettre des petits plats dans les grands.

— Ça va, ma Julienne ?

— Ça va un peu.

Julienne avait une mine fatiguée. Je l'ai serrée longuement dans mes bras pendant que Vanessa nous tournait autour.

— Petits soucis ?

— T'inquiète.

Nous avions passé de nombreuses soirées ensemble depuis mon retour. À parler et à boire des bières. À rire, à nous confier. À nous ouvrir le cœur et à oser nous dire la vérité. Nos conversations tournaient principalement autour du Centre César et des dernières rumeurs qui circulaient dans le quartier. Mon projet avec Shaban et les problèmes scolaires de Vanessa revenaient aussi régulièrement sur le tapis. Les difficultés de Vanessa étaient d'ailleurs une source d'inquiétude grandissante pour Julienne : elle ne savait plus quoi faire pour aider sa fille.

C'est en toute candeur que Julienne me faisait part de ses peurs et de ses doutes, tout comme je lui confiais mes espoirs et mes rêves. Elle parlait autant qu'elle réfléchissait à voix haute. Elle se sentait impuissante face à la possibilité de voir sa fille tripler sa troisième année. Venant de n'importe qui d'autre, ce genre de discours aurait tout de suite éveillé ma méfiance. Mais, contrairement à bien d'autres, Julienne ne cherchait pas à me soutirer des sous. Elle me connaissait déjà bien trop pour ça. Elle savait que je n'aidais que les personnes animées par une réelle volonté de s'aider elles-mêmes, et que Vanessa n'avait pas vraiment le profil. Cela dit, au cours des dernières semaines, j'avais mûrement réfléchi à la situation dans laquelle se trouvait Vanessa. À en croire Julienne, les difficultés de sa fille semblaient insurmontables. À écouter Shaban, il n'était pas trop tard pour renverser la vapeur. Et il n'y avait pas cent solutions pour lui éviter de décrocher : il fallait lui trouver un bon tuteur, et vite, pour l'aider à acquérir une meilleure méthode de travail et lui permettre de retrouver sa confiance en elle.

Ma décision était prise. J'allais lui offrir un tuteur comme cadeau de fête et de Noël. Pour l'aider à se sortir de l'impasse et pour atténuer, par la même occasion, les angoisses incessantes de sa mère. Angoisses qui ne la lâchaient pas malgré sa capacité de résilience et sa sainte résignation.

Julienne m'avait confié, lors d'une de nos récentes soirées entre filles, que les massacres inouïs et les atrocités sans nom perpétrés pendant le génocide lui avaient brisé le cœur et l'avaient endeuillée à jamais. Je me sentais privilégiée qu'elle m'admette ainsi dans son intimité, même si je n'arrivais jamais à trouver les mots qui convenaient pour lui répondre. Faute de mots justes face à l'inexplicable, à l'intolérable, j'écoutais en silence en lui tenant la main. Et si, d'aventure, je pouvais me montrer bonne et généreuse envers ses enfants, je le ferais. Ma décision était prise, il ne me restait plus qu'à l'annoncer à Julienne.

La nuit tombait comme un rideau. Patrick et Willy sont rentrés en coup de vent dans la maison pour s'installer à la table du salon et s'affronter dans un tournoi de bras de fer.

— Salut, les gars !

Ils m'ont répondu en cœur et en souriant à pleines dents.

— Ça va, Héréna ?

Ils ne semblaient pas se soucier le moins du monde des grognements de leur mère qui se trouvait juste derrière eux. Au bout de trois parties et plus encore de « je suis le plus fort », Julienne les a envoyés se laver les mains dans le jardin. J'ai profité de ce court moment de flottement pour sonder Vanessa, qui se tenait debout à côté de moi.

— Ça va à l'école ?

— Couci-couça.

Sa réponse collait parfaitement avec le mouvement de balancement qu'elle faisait dans l'air avec la main. J'ai levé le pouce avant de lui demander de préciser sa pensée.

— Comme... ci ?

— Comme... ça!

Elle venait de refermer la main d'un coup pour former un poing. Son pouce pointait vers le sol.

— Comment ça?

— Je suis nulle.

— Tu n'es pas nulle.

— Tout le monde le dit.

Julienne pelait et coupait un régime de bananes plantain. Elle nous observait du coin de l'œil en souriant à demi, bien consciente de ce que je tâchais de faire.

— Tu n'es pas nulle. Tu as besoin d'aide.

— Tu répètes toujours qu'il faut d'abord s'aider soi-même.

— Il faut autant vouloir s'aider que savoir quand demander de l'aide.

— Je ne veux pas tripler ma troisième année...

Julienne a déposé son couteau au milieu des pelures de bananes sur la planche à découper. Elle avait les larmes aux yeux. J'ai saisi Vanessa dans mes bras. Elle n'a pas résisté long-temps, malgré un premier réflexe de repli.

— Laisse-moi t'aider.

— Mais je ne comprends rien de rien en maths.

— On va te trouver un bon tuteur. Il va te donner des cours privés. Tu vas apprendre à faire tous les efforts nécessaires, et tu vas réussir ta troisième année.

— Même si je suis nulle.

— Tu n'es pas...

Les garçons ont traversé la cuisine à toute vitesse et à grands coups de : « Vanessa est NUL-LE, Vanessa est NUL-LE... »

Le temps de le dire, Julienne a attrapé son balai à feuilles large pour les chasser de la cuisine, alors que Vanessa partait à leur poursuite en hurlant comme une sirène qu'ils étaient les plus nuls de chez les nuls.

Les jeunes avaient avalé en trois bouchées le repas que Julienne leur avait amoureusement préparé. Vanessa avait l'air apaisé, les garçons rassasiés. Après un moment, Julienne s'est levée pour ramasser le grand plateau vide dans lequel tout le monde s'était servi. Patrick et Willy avaient repris leur tournoi de bras de fer, Vanessa jouait avec un bout de ficelle et je me demandais quoi faire. À force de se faire battre, le plus jeune des garçons a commencé par rechigner avant d'en venir à froncer les sourcils. Vanessa observait la scène en se contentant de hausser les épaules jusqu'à ce que Patrick m'aborde, mine de rien.

— Je t'en prendrais bien, un petit coup de main, moi aussi, tant que tu y es.

— Ah bon! Pourquoi?

— Parce que... parce que...

— On en reparlera demain.

Julienne m'a lancé un clin d'œil, puis m'a entraînée hors de la cuisine. Nous emboîtant le pas avec le dessert, Vanessa a déposé l'assiette de beignets de bananes plantain sur la table basse du salon.

— Bon appétit!

J'ai éclaté de rire avant d'engloutir une énorme bouchée de banane. Les garçons avaient déjà le nez dans l'assiette. Julienne nous regardait d'un air découragé. Vanessa se contentait de hausser de nouveau les épaules. J'ai allumé le vieux poste radio sur le buffet et cherché une station qui diffuse de la bonne musique. J'ai monté le volume à fond. Une musique entraînante a envahi la modeste maison de ma famille rwandaise. J'étais feu de joie. Je me suis mise à danser au milieu du salon. Regardant l'assiette de bananes à la vanille, je me suis retrouvée en esprit devant l'ancienne bananeraie de Shaban. Un grand rire de satisfaction est sorti de ma bouche.

— J'ai tellement hâte que vous voyiez l'école!

Julienne et Vanessa m'ont rejointe en se tortillant. Patrick et Willy se sont retournés pour s'assurer de ne rien manquer du spectacle. Puis Vanessa est allée prendre ses frères par la

main pour les entraîner jusqu'à notre piste de danse improvisée. Ils étaient beaux à voir, les trois enfants ensemble, dans
ce bonheur de l'instant. D'autant plus qu'à présent, il ne faisait
plus aussi sombre après les repas du soir. Depuis que je payais
l'électricité à l'avance et non plus au coup par coup comme
avant. Julienne avait mis un petit moment à s'habituer. Au
début, elle pleurait de joie lorsqu'elle actionnait l'interrup-
teur pour éclairer son salon ou allumait la radio avant de se
mettre à danser. Nos soirées improvisées étaient d'ailleurs bien
plus nombreuses depuis que nous étions mieux branchés. Le
nombre de fois où nous chantions, dansions et rigolions en
famille jusqu'à l'épuisement aussi !

J'adorais me réveiller pour aller faire mon jogging aux premières lueurs du matin. J'adorais traverser Kimironko à
grandes enjambées pour prendre çà et là des nouvelles du
quartier et discuter avec les voisins. J'avais l'impression d'avoir
des amis partout. Et j'adorais croiser les mamans à l'extérieur
du Centre, toutes soigneusement coiffées et vêtues de leurs
superbes boubous tous plus colorés les uns que les autres.
Depuis que je passais beaucoup moins de temps au Centre
César et davantage à suivre le chantier, je m'ennuyais de ces
femmes inconsolables aux sourires si chaleureux. De leurs
rires contagieux et des belles complicités patiemment tissées
au fil des mois, aussi.

Vers la fin de mon parcours matinal, je me suis retrouvée
aux abords de la place du marché de Kimironko. Comme toujours, le marché était bouillonnant de vie, avec ses effluves
enivrants, ses parfums épicés, son toit de tôles rouillées et
ses allées surchargées. À l'image d'une société qui connaissait
pour ainsi dire une évolution à deux vitesses : celle des riches...
et celle des pauvres. En tant que *Muzungu*, il était difficile
pour moi de négocier aussi durement avec les marchands
locaux que les mamans du Centre, par exemple. En raison
de la langue, d'abord, mais aussi parce que, vu mes moyens,

il était indécent de tenter de bluffer quelqu'un pour trois fois rien. C'est pourquoi je me faisais avoir à l'occasion, parfois un peu volontairement, mais pas autant que pendant mon premier voyage, alors que je baragouinais à peine quelques mots de *kinyarwanda*.

Je me suis arrêtée au stand de Gloria, près de celui de la vendeuse de poissons séchés. Gloria se vantait de vendre les mangues les plus fraîches et les ananas les plus sucrés sur le marché.

— Héréénaaa !

— Gloriaaa !

Nous nous sommes fait la bise. Gloria est la fille d'une des mamans qui fréquentent le Centre César. Sa mère l'appelle son porte-bonheur parce qu'elle est née le jour de la fin du génocide, en juillet 1994.

— Tu veux des mangues, ma jolie ?

— Non, juste te dire bonjour.

Elle m'a tout de même tendu une mangue, comme si de rien n'était. Je l'ai refusée d'une main, elle m'en a redonné une plus petite de l'autre, que j'ai glissée tant bien que mal dans la poche de mon short. Le jus de sa chair fondante s'est mis à couler le long de ma jambe. Gloria m'a fait un clin d'œil. L'incident était clos.

— Comment va Julienne ?

— Ça va aller, comme elle le dit.

— Et les enfants ?

— De vrais petits anges.

— Et ta grande école ?

— Elle pousse comme des mauvaises herbes.

— Et ton petit chéri ?

— Mon petit chéri ?

— L'ami de Willy.

— Emmanuel ?

Le mot s'était passé à mon insu. D'abord au Centre, puis dans la rue, jusqu'aux quatre coins du quartier. Je savais que

Kimironko se régalait de potins – et les plus croustillants étaient jugés les meilleurs –, mais la remarque de Gloria à propos de mon « petit chéri » m'avait choquée. Je me suis arrêtée au Centre César avant de rentrer à la maison. J'avais besoin de parler de cette histoire avec Maman Nicole. Elle était assise sur son balcon – le centre était fermé les dimanches. D'entrée de jeu, elle m'a confirmé que la rumeur circulait déjà depuis un moment.

— La rumeur ?

— La rumeur, la nouvelle... Appelle ça comme tu veux !

— Mais je ne fais qu'aider quelqu'un !....

— Oui, mais...

J'ai regardé Maman Nicole d'un œil inquiet. J'avais l'impression de m'aventurer sur un terrain glissant.

— Regarde autour de toi, Hélène. Regarde où tu es en ce moment.

— À Kimironko ?

— Tu es dans un centre d'aide aux veuves et orphelins du génocide.

— Je suis chez toi, au Centre César.

Maman Nicole s'est levée sans rien dire. Elle avait l'air énervée tout d'un coup. Elle s'est dirigée vers la cuisine, un peu comme lorsqu'elle allait nous chercher des bières en fin de journée, alors qu'il n'était même pas neuf heures du matin. Elle est revenue avec une grande tasse de thé dans chaque main. Puis elle m'a regardée longuement, avant de prendre une grande respiration.

— Écoute-moi bien, Hélène. Les mamans sont très attachées à toi. En fait, elles t'adorent. Elles sont aussi infiniment reconnaissantes de toutes ces choses de la vie que tu leur as enseignées dans tes cours. En revanche, quelque chose les titille.

— Comme quoi ?

— Les mamans ne comprennent pas pourquoi tu as décidé d'aider un jeune de la rue, au lieu de leurs enfants.

— Hum...

— Et, tant qu'à faire et quitte à tout dire, les mamans nour-
rissent aussi le même type de ressentiment à l'égard de ton
projet d'école avec Shaban. En fait, elles ne comprennent pas
pourquoi tu as décidé de construire une école si loin de leur
village...

Je sentais la colère monter en moi. D'un autre côté, si j'étais
venue chez Maman Nicole, c'était précisément pour comprendre ce que pouvait bien vouloir dire la remarque de Gloria,
et Maman Nicole avait le courage de me dire la vérité.

— Je n'ai pas décidé d'aider un jeune d'ici ou d'ailleurs,
j'écoute simplement mon cœur...

Un ange passe.

— Les bras m'en tombent. Les mamans parlent dans mon
dos, elles me jugent.

— Les mamans ne jugent pas. Elles ne comprennent juste
pas ce que tu fais. Ce n'est pas la même chose. Puis après,
comme tu as enseigné bénévolement et contribué à la vie
du Centre, elles te considèrent comme une proche, comme
quelqu'un de la famille.

— D'où leur droit d'exprimer une opinion ?

— Spécialité locale.

— Mais si elles s'accordent le droit de parler, moi, je m'ac-
corde le droit de faire ce que je veux. Parce que mes choix sont
mes choix et que, à partir du moment où je ne peux pas aider
tout le monde et que je n'ai pas de machine à imprimer de
l'argent, je dois savoir faire le tri.

— Mais selon quels critères ?

Nicole n'avait pas tort. La réaction des mamans face à l'école
et à Emmanuel ne m'apparaissait plus aussi condamnable.
Mes premières impressions, selon lesquelles c'était lié à l'envie
et à la jalousie, se sont envolées. Maman Nicole avait bien fait
de me raisonner. Les mamans du Centre César étaient aussi
pauvres que démunies, et elles étaient bien trop préoccupées
par leur survie pour réagir autrement. Elles forgeaient leurs
opinions en se fondant sur le concret et le tangible, et, dans

les faits, Emmanuel était d'ailleurs, et l'école était loin de Kimironko. À moi de mieux jouer mes cartes, donc. À moi de jouer franc-jeu et d'établir des règles claires. Ou plutôt de déterminer selon quels critères j'acceptais de prendre une demande d'aide en considération, et de le faire savoir. D'autant plus que le nombre de demandes avait considérablement augmenté depuis qu'il se murmurait dans le quartier que je payais les études d'Emmanuel et que je finançais la construction de l'école de Shaban à Kayonza. Je finissais parfois par avoir l'impression qu'on me percevait comme un portefeuille sur deux pattes. En fait, s'il était arrivé qu'on me demande de l'argent au cours de mes deux premiers voyages, les montants en question étaient somme toute dérisoires, et les requêtes toujours ou presque formulées dans un lieu public, c'est-à-dire à l'église, au marché ou au bar. Mais, depuis que les rumeurs couraient, on allait jusqu'à frapper à ma porte de jour comme de nuit :

« J'aurais besoin de 700 000 francs pour ouvrir un restaurant dans la capitale... », « Mon cousin a un super concept de salle de *bowling* et de billard. C'est une affaire en or, mais il n'a pas d'argent. C'est zéro risque, je te jure... », « Ma mère a toujours rêvé d'avoir son propre salon de coiffure. Tu ne veux pas l'aider à lancer son projet ? »

Ça n'en finissait plus. Chaque jour apportait son lot de projets. Bons ou mauvais, ils ne tombaient jamais tout à fait dans l'oreille d'une sourde. Le premier hic, c'était que je n'étais pas en mesure d'aider tout le monde. Le second hic, c'était la nécessité de décider selon quels critères j'allais aider. Aider beaucoup à petite échelle ? Mais, quand chacun était convaincu d'avoir l'idée du siècle, la question était surtout : aider qui ?

Un problème à la fois.

Au départ, je voulais aider, mais sans savoir comment. Désormais, j'avais parfois l'impression d'être un père Noël dans un centre commercial à qui tout le monde demande tout et n'importe quoi. On n'allait pas jusqu'à me tirer la barbe ou à faire la queue devant chez moi, mais le nombre de demandeurs qui frappaient à ma porte gonflait à vue d'œil. Je devais donc impérativement trouver un moyen de faire le tri, et de définir un processus de sélection basé sur des critères précis afin d'éviter toute ambiguïté. Mais, avant de créer ma firme de microcrédit, je devais moi-même respecter le premier de mes commandements : préparer un plan d'affaires.

Je me suis inspirée des fameux « 5 W » du journalisme pour déterminer les grands principes de ma future microentreprise de crédit. Ça a pris la forme de questions à poser à ceux qui viendraient vers moi.

Who ? Quelle est ton histoire ? Parle-moi de toi.

What ? Quelle est la nature de ton projet ? Quelle est sa pertinence ? Sa faisabilité ?

Why ? Quel est le motif réel de ta demande de soutien financier ?

Where ? Quels sont les lieux et conditions d'exercice de l'activité ?

When ? Pourquoi ici et maintenant ?

Comme j'allais travailler à la maison, je me suis installée à mon bureau et j'ai sorti un crayon et une feuille de carton de mon tiroir. J'ai tracé le portrait d'un bonhomme sourire sur un côté et un visage triste sur l'autre. J'ai percé le haut de la feuille de carton pour y faire passer une ficelle, puis je l'ai suspendue à la fenêtre de ma porte d'entrée. Voilà pour mes heures d'ouverture et autres disponibilités. Patrick, qui passait par là par hasard, n'a pas pu s'empêcher de venir me demander ce que je faisais. Le temps de lui expliquer, j'en étais déjà à ma première consultation.

Il m'a écoutée en silence lui expliquer mon projet de microcrédit. C'était une grande spécialité chez lui, les longs silences.

— Je t'écoute, Patrick.

Il était gêné de ce qu'il s'apprêtait à me demander, et il ne savait pas comment aborder la question.

— Par les idées et les chiffres, les faits et la vérité.

— Peux-tu m'aider à obtenir mon permis de conduire ?

— Comment ?

— En me payant les cours de conduite.

— Pour faire quoi ?

— Pour conduire une mototaxi avant de devenir chauffeur routier.

— Laisse-moi réfléchir.

Il a esquissé un sourire et est parti en me faisant un petit geste de la main. Julienne m'avait déjà parlé à quelques reprises de l'idée de son fils, mais elle le connaissait encore mieux que moi, et nous savions toutes deux qu'il avait beau avoir le cœur sur la main, il était paresseux. Patrick avait la fâcheuse habitude de tout demander au ciel, en grand rêveur qu'il était, mais de ne jamais travailler autant que ses ambitions le demandaient. Ainsi, avant de m'engager véritablement avec lui, je devais peser le pour et le contre.

Il y avait toujours trois ou quatre mototaxis garées devant le Boui-boui, où les chauffeurs espéraient des clients à l'ombre d'un grand arbre. À force de se croiser, on se connaissait tous un peu sans vraiment se connaître. L'un d'eux m'avait même déjà conduit à mon petit hôtel un vendredi soir. Je me suis approchée de lui en premier. Il s'est levé de sa chaise de plastique, bondissant comme un ressort, trop content d'avoir attiré une cliente. Je lui ai proposé un troc. Il a tout de suite accepté mon offre. Ses deux copains aussi.

Je suis allée commander quatre grosses bouteilles de Mutzig au patron avant de revenir m'installer à leur table. Là, je leur ai demandé des informations sur les dessous de l'industrie de la mototaxi. Dans un flot continu de paroles et de gestes, ils m'ont donné l'occasion de découvrir l'envers du décor. Entre deux gorgées, j'ai appris que la grande majorité des chauffeurs louaient leur outil de travail à une petite poignée de propriétaires qui régnaient en rois et maîtres sur le secteur.

— Tu loues ta moto à la journée, mais entre le prix de l'essence et le coût de l'assurance et de la location, il ne te reste plus grand-chose à te mettre dans la poche.

— Un bon chauffeur peut gagner combien en moyenne?

— Mille cinq cents francs par jour.

Ses copains ne semblaient pas d'accord.

— Tu exagères.

— Entre 1000 et 1500.

— Mille.

— Entre 800 et 1200.

Entre 800 et 1200 francs par jour? Soit entre 80 cents et 1,40 dollar US? Ma tournée de bière venait de me coûter 2000 francs! Comme le hasard fait souvent bien les choses, notre voisin de table se trouvait à être le seul vendeur de motos du coin. Un Indien qui connaissait d'ailleurs très bien les propriétaires de mon petit hôtel. J'ai fait signe au patron de lui apporter une bière tandis que mes copains chauffeurs s'en retournaient à leurs affaires.

D'une pierre deux coups! Après la version des travailleurs, j'avais droit au point de vue d'un décideur. Grâce à l'hôtel, un lien de confiance et de complicité s'est rapidement noué entre nous, et mon interlocuteur m'a tout de suite dressé une liste des choses à faire et à ne pas faire, tout en m'exposant un éventail de contre-indications qui m'ont confirmé que mon idée d'aider Patrick n'était pas digne d'un génie. Qu'importe! Je voulais l'aider. J'étais partie à la pêche aux informations pour me donner l'impression d'avoir fait mes devoirs, quand bien même ma décision était déjà prise.

Je suis rentrée à la maison, où Willie et Patrick étaient installés à la table en train de finir de manger leur potée de bananes plantain. J'ai invité Patrick à venir me rejoindre dans mon salon.

— J'accepte de t'aider.

— Pour la moto?

— À devenir chauffeur de mototaxi.

— Non !

— À deux conditions.

— Deux ?

Il avait l'air déçu.

— Un, tu dois d'abord réussir tes cours de conduite.

— Deux ?

— On va mettre la moto à mon nom le temps que tu rembourses le prêt.

— La moto ne sera pas à moi ?

— Quand tu auras fini de la payer, oui.

— Mais tu sais que je vais te rembourser.

— On n'est pas en train de négocier, Patrick.

Un peu plus, et je me sentais coupable. J'avais presque l'impression de lui confisquer un jouet. Mais mettre la moto à mon nom faisait partie de ma démarche d'aide. À l'écouter, Patrick rêvait de gros camions et de grandes routes. Du fond du vieux divan de sa maman, il se voyait déjà sillonner l'Afrique de l'Est de long en large au volant de camions remorques Volvo ou Mercedes, alors qu'il n'avait pas la moindre idée de ce que signifiait travailler à son compte avec des factures à payer, des horaires et des échéances à respecter. J'avais beau avoir envie de lui faire confiance, je le connaissais assez pour savoir qu'il était hors de question de lui acheter une moto sans protéger mes arrières.

Nous avons pris rendez-vous le lendemain afin de finaliser les derniers détails. Patrick s'est levé pour me remercier avant de ressortir. Je l'ai regardé s'éloigner et rejoindre ses amis dans la rue, puis j'ai refermé la porte derrière lui et je me suis appuyée contre le mur de l'entrée. Mon tout premier dossier de microcrédit n'était peut-être pas des mieux ficelés.

Il restait deux semaines. Deux semaines avant la fin des travaux. Deux semaines avant le transfert des élèves de la vieille école à la nouvelle. Deux semaines à tenir avant de franchir la ligne d'arrivée. Deux semaines à nous endurer, Shaban et moi, l'un comme l'autre gonflés à bloc par l'approche du jour tant attendu. Emmanuel aussi était un joli paquet de nerfs : nous étions à quinze jours de la cérémonie de remise des diplômes.

Heureusement, ce n'était plus vraiment un chantier : l'ancienne bananeraie était maintenant devenue un établissement scolaire digne de ce nom, avec ses pavillons rectangulaires de briques rouges. Et si la peinture sur les murs risquait fort de ne pas avoir eu le temps de sécher complètement pour le premier jour de classe, les neuf salles de cours, les deux grands dortoirs, l'espace cuisine et même le terrain de foot allaient être opérationnels.

À quelques derniers petits coups de marteau près, l'école dont avait tant rêvé Shaban était sortie du sol. Il ne restait plus qu'à attendre que ses nouveaux étudiants lui insufflent la vie.

Des centaines d'élèves.

Shaban avait décidé de permettre aux étudiants de la promotion sortante de terminer leur année scolaire dans les nouveaux bâtiments. Du coup, le processus de transfert était d'ores et déjà enclenché.

Je passais presque tout mon temps à Kayonza. Shaban m'avait installé un lit de camp dans le futur dortoir des filles, mais je me faisais un devoir de retourner à Kimironko tous les week-ends pour passer du temps avec Julienne. Et puis, retrouver l'intimité de mon lit et de ma maisonnette m'apportait un réel réconfort après ces nuits passées à dormir dans un immense dortoir vide. Tout comme entendre le chant du coq de mon quartier par la fenêtre de ma chambre, et le rire des enfants derrière ma porte. J'aimais aussi renouer avec ma routine du matin : courir dans le quartier avant même de déjeuner. Saluer les voisins et voisines. Prendre le temps de m'arrêter pour discuter et demander des nouvelles de la famille.

Ah ! La famille. Toutes les bonnes conversations africaines tournent d'abord autour de la famille. Et tes parents ? Et les enfants? Et ton frère? Et ta sœur? Et ton cousin qui habite dans la capitale? Et ta cousine qui habite en Amérique? Etc.

Les rues étaient étrangement calmes pour un samedi, et le marché désert. En apercevant les silhouettes poussiéreuses d'un groupe d'hommes en train de boucher des nids-de-poule au coin de la rue du Boui-boui, je me suis rappelé que c'était le jour du grand ménage collectif: l'*Umuganda.*

Le patron du Boui-boui était lui aussi de corvée. Il balayait et ramassait les ordures autour de l'abri de fortune – construit avec quatre grosses branches et un bout de tôle rouillée – qui fait office de principal arrêt d'autobus du quartier.

— Besoin d'un coup de main?

Il s'est redressé lentement, comme quelqu'un qui souffre d'un mal de dos chronique, avant de me sourire malicieusement.

— Mais ça fait des heures que je t'attends.

— Je sais.

J'ai attrapé le grand sac de papier dans lequel il enfouissait sa récolte de déchets et je l'ai aidé à venir à bout de sa corvée. Le président Kagame avait bien réussi son coup avec l'*Umuganda.* Le patron m'a serré la main avant de retourner à ses affaires.

— À ce soir?

— À coup sûr.

Je suis repartie en zigzaguant entre les nids-de-poule. Selon les saisons et la pluie, les rues de terre rouge de Kimironko peuvent ressembler à la surface cratérisée de la lune ou à un terrain de tennis en terre battue. Les parcourir à pied comporte son lot de risques, surtout à la tombée de la nuit. Julienne et moi en savions quelque chose. Nous avions frôlé la catastrophe plus d'une fois en sortant du Boui-boui un peu trop tard.

Je me suis arrêtée au Centre pour faire un coucou à Nicole. Je l'ai trouvée les mains pleines de terre, entourée de mamans qui s'affairaient à l'entretien du jardin.

— Hélène !

— Salut, tout le monde.

Les mamans sont venues me faire un petit câlin tour à tour. Maman Nicole était à quatre pattes, occupée à arracher des mauvaises herbes. Je me suis agenouillée à côté d'elle.

— Quelle belle surprise !

— Vive l'*Umuganda* !

J'ai à mon tour plongé les mains dans la terre, près des siennes.

— On cherche quoi, au juste ?

— De l'argent, comme d'habitude.

Nous nous sommes regardées une seconde, avant d'éclater de rire.

— Je devrais aller nous chercher une pelle, alors ?

— Va donc nous chercher deux bières à la place.

— Il n'est même pas midi.

— Vive l'*Umuganda*.

J'en ai profité pour faire un crochet aux toilettes, où j'ai croisé mon reflet dans le miroir. J'avais presque l'air d'un membre des forces spéciales, tellement j'étais barbouillée de poussière. Je me suis passé de l'eau sur le visage pour retrouver un semblant de normalité avant de ressortir de la salle de bain.

Nicole était maintenant dans la cuisine en train de se laver les mains. Elle ne m'avait pas entendue entrer dans la pièce. Je l'ai observée en silence pendant qu'elle se nettoyait les ongles avec une petite brosse rouge. Je l'ai regardée en me disant que la femme qui se tenait debout à quelques mètres de moi était vraiment un sacré personnage. J'ai pensé à son parcours atypique et à son audace. À son grand cœur aussi, et à sa persévérance. Sans Nicole, je n'aurais pas été là aujourd'hui. Ma vie aurait été ailleurs. Je n'aurais pas non plus été en train de perdre des heures de sommeil à me demander comment j'allais trouver le moyen de continuer à vivre ici, comment quitter le statut de touriste en obtenant un statut de résidente permanente.

Nicole et moi nous ressemblions à bien des égards. Après tout, nous étions toutes les deux tombées amoureuses du Rwanda. Nous étions deux têtes de mule, aussi. Nos manières de faire étaient peut-être différentes, mais pas notre amour du pays. Nicole était une femme de lettres, et moi une femme de chiffres. Elle était spontanée, et moi réfléchie. Elle était un volcan d'émotions, et moi j'étais d'humeur égale. Mais ces différences ne nous empêchaient pas de bien nous entendre, et de former une belle équipe quand le temps venait de secouer un peu un fonctionnaire indécis ou un fournisseur véreux. Le plaisir était réel. La complicité aussi.

Je me suis approchée de Nicole tout doucement, pour éviter de la faire sursauter... sans succès.

— Tu m'as fait peur.

— Nicole...

Je l'ai serrée dans mes bras.

— Ça va?

— Merci pour tout.

— Tu repars au Canada?

— Elles sont où, tes bières?

Les effets bénéfiques de l'*Umuganda* se faisaient déjà sentir. Les espaces verts et les potagers du Centre César respiraient maintenant la santé. Les mamans s'en allaient d'un pas léger, à tour de rôle. Nicole a refermé la grille de l'entrée derrière elles avant de revenir s'asseoir à mes côtés. Le Centre César était officiellement fermé pour le week-end. Nicole a levé son verre pour trinquer.

— Santé?

— Santé!

Ça me faisait bizarre d'être ici, tout d'un coup. Je me sentais à ma place sans plus vraiment l'être. Le centre de Maman Nicole était à l'origine même de ma vie rwandaise. Il en avait été le point de départ. Le kilomètre zéro. Revoir les mamans avait aussi ravivé en moi de joyeux souvenirs. Plusieurs m'avaient confié qu'elles s'ennuyaient de leur professeure invitée, mais aucune ne m'avait demandé des nouvelles de mon école, et c'était aussi bien ainsi.

OUVRIR

C'était le jour J. Un long ruban rouge était tendu dans le cadre de la porte d'entrée. Une odeur de peinture fraîche flottait dans l'air. Le maire lui-même s'était déplacé pour l'ouverture officielle de la nouvelle *Kayonza Vocational School* (KVS). Des groupes de finissants serraient les rangs comme des moutons devant les bâtiments en briques brun rougeâtre. Des dizaines de nouveaux élèves trépignaient dans la boue au milieu de l'ancienne bananeraie. Un journaliste du *New Times* était venu spécialement de Kigali pour couvrir l'inauguration. Shaban s'est empressé de lui faire faire le tour du propriétaire. Le journaliste s'assurait de bien noter tous les détails :

— Neuf salles de classe, deux dortoirs, trois cents et quelques étudiants...

— Trois cent cinquante-deux.

Faire d'un rêve une réalité.

Je m'étais acheté une veste gris perle à Kigali pour l'occasion. Emmanuel arborait une nouvelle chemise blanche fraîchement repassée. Un photographe se chargeait d'immortaliser le moment. Mon implication dans le projet de Shaban était aussi réelle que tangible, et je tirais une immense fierté de ce que nous avions accompli tous les deux.

Le temps s'étirait exagérément. Shaban n'en finissait plus avec son journaliste. Je lui ai fait un petit signe de la main, mimant des ciseaux. Il m'a répondu par un grand sourire avant de tenter de se frayer un chemin à travers la foule. Shaban resplendissait comme le soleil tout en s'excusant continuellement. Je me suis sentie fébrile tout d'un coup. Presque fiévreuse. Je ne me souvenais pas d'avoir déjà ressenti une telle chose.

Shaban m'a rejointe, une paire de ciseaux entre les mains, ce qui m'a ramenée sur terre. Derrière nous, trois professeurs qui nous accompagnaient depuis le début du projet souriaient nerveusement. Derrière eux, une poignée de parents qui s'apprêtaient à nous confier leur enfant. Le ciel était dégagé. Le soleil chauffait les muscles. La chaleur empourprait les joues. Hasard ou coïncidence, mon partenaire portait un veston gris souris qui s'harmonisait à merveille avec ma veste.

Le temps que le photographe trouve le meilleur angle pour capter le moment historique, Shaban avait coupé le ruban rouge sous un tonnerre d'applaudissements et de cris de joie. Puis, tout le monde s'est mis à chanter et à danser. Des enseignants ont offert des visites guidées de leurs nouvelles salles de classe. Les nouveaux étudiants sont allés découvrir les dortoirs où des nuits et des nuits les attendaient.

Je regardais Shaban regarder ces éclats de joie autour de nous. L'état d'excitation des élèves. Le panache des enseignants. La réserve des agents de l'État. Un petit rire bête s'est échappé de sa bouche.

— Ça va?

— Ça va!

Shaban m'a attrapée par la main sans rien ajouter. Nous sommes restés là longtemps, plantés comme des statues, fascinés par la magie du moment. Assez pour que je me perde à nouveau dans mes pensées et que je remonte en esprit jusqu'au jour où Shaban m'avait fait part de ses problèmes de bail et d'insalubrité. Je me souvenais encore de mon élan spontané, de ma volonté de l'aider avant même de savoir si nos manières de faire étaient compatibles. Et maintenant...

Ruban, photo, action... Shaban m'a prise dans ses bras et embrassée sur le front.

— C'est parti?

— *The sky's the limit!*

Il a fait sonner la cloche de la nouvelle école pour la première fois, et les élèves sont accourus pour se rassembler devant l'entrée principale afin d'assister à la remise des diplômes. L'ambiance était à la fois festive et électrique. Shaban a invité la nouvelle cohorte d'étudiants à laisser celle des finissants se rapprocher de la petite scène surélevée avant de procéder à la cérémonie. J'ai profité de ce moment de flottement pour m'assurer que le buffet traditionnel avait été préparé et dressé avec soin.

Malgré le nombre élevé de diplômés, Shaban menait rondement la célébration de façon à retenir l'attention du public, tout en prenant soin de rendre compte des accomplissements de chaque étudiant. Je regardais les élèves défiler les uns après les autres, me rongeant les ongles en attendant le tour d'Emmanuel. Heureusement, Shaban m'avait prévenue qu'il passait vers la fin : selon la tradition, les meilleurs élèves étaient toujours honorés en dernier. Ce qui n'a pas empêché mon cœur de se serrer d'un coup sec quand Shaban a invité Emmanuel à le rejoindre. Je retenais mon souffle tandis qu'il s'approchait de la scène. J'avais envie de hurler à pleins poumons lorsqu'ils se sont retrouvés tous les deux face à face. Mais je me suis contentée d'applaudir de toutes mes forces quand Shaban a remis à Emmanuel son rouleau de parchemin entouré d'un ruban rouge, et que ce dernier a levé le bras en l'air pour pointer le ciel avec son diplôme.

Je me suis faufilée jusqu'au bord de la scène pendant que le directeur posait avec son élève pour la photo officielle. J'ai sauté au cou d'Emmanuel, qui a éclaté en sanglots en me tendant son diplôme au milieu de la cohue.

— Regarde.

— Fais voir.

Il a posé un genou à terre. Ensuite, il a dénoué le ruban rouge et déroulé lentement son parchemin. Je me suis penchée par-dessus son épaule pour lire ce qui y était inscrit. Ses yeux brillaient plus encore que les étoiles.

— J'ai un diplôme, Héréna.

— Tu as un diplôme, Emmanuel.

Il s'est redressé de toute sa taille avant de planter son regard dans le mien.

— Grâce à toi.

— Grâce à toi, surtout.

— Je te l'avais dit que tu ne le regretterais pas, hein ?

— Et tu as tenu parole.

Shaban venait de terminer la distribution des diplômes et il invitait maintenant les gens à aller vers le buffet. Il s'est arrêté un instant en passant devant nous. Emmanuel en a profité pour nous attraper tous les deux par le cou et nous serrer bien fort dans ses bras. Le photographe passait par là au même moment. Le temps que nous prenions la pose et qu'il réalise quelques clichés, j'ai eu l'impression que nous formions une famille, tous les trois.

L'inauguration, la remise des diplômes, la coordination des offres de stages et d'emplois, l'accueil des nouveaux étudiants, le coup de pinceau à donner ici et là, l'herbe à semer, la vérification des comptes, l'installation d'une clôture, la visite des inspecteurs... La vie grouillait comme dans une fourmilière, les semaines défilaient à grande vitesse, personne n'avait le temps de perdre son temps et mes amis bien-aimés avaient tous un moral d'acier. À commencer par Shaban, qui s'enfilait des journées de seize heures comme si de rien n'était. Et que dire de Vanessa qui, avec l'aide du tuteur pédagogique que Shaban avait réussi à lui dénicher, effectuait une remontée spectaculaire d'une matière scolaire à l'autre ! De son côté, Patrick assistait assidûment à tous ses cours de conduite et s'apprêtait à passer l'examen du gouvernement afin d'obtenir son permis de moto, tandis qu'Emmanuel, après avoir bien profité de ses vacances à jouer au foot et à passer du bon temps avec son ami Willy, s'apprêtait à effectuer un stage de trois mois dans un des grands hôtels de Kigali...

— Tu peux être fière de toi, ma fille.

Julienne avait levé son verre à ma santé. Le Boui-boui était à moitié vide, mais je le percevais comme à moitié plein.

— Je suis surtout contente pour eux.

En retournant à Kayonza, j'avais réalisé que je n'étais plus indispensable au bon fonctionnement quotidien de notre grand projet. Sur le coup, ce constat avait été vraiment dur à encaisser. Parce que je n'avais plus rien devant moi. Pas de boulot. Plus de projet. Rien de concret. Et, dans la mesure où je n'étais pas enseignante et que Shaban n'avait aucune raison de me payer à ne rien faire, il ne me restait plus... qu'à me réinventer de nouveau.

Pendant que je cherchais l'objet de ma nouvelle quête, des médias du Québec commençaient à s'intéresser un peu à moi et à mes histoires africaines. Papier, radio ou télé, leurs reportages n'omettaient jamais les mots « courage » ou « audace ». Comme ils l'avaient néanmoins compris, le fait que j'avais les moyens m'avait facilité la tâche. Aucune femme sans le sou n'aurait osé, voulu ou pu entreprendre un périple comme le mien. Soyons honnête : j'ai de l'argent. Bien assez pour prendre ma retraite vers 65 ans. Je suis donc privilégiée, c'est vrai, mais je n'ai pas gagné à la loterie. J'ai travaillé fort pour en arriver là, et plus encore pour faire quelque chose de bien de cette occasion que le destin m'a donnée. J'ai de la chance, mais j'ai aussi du cœur.

Je continuais à venir faire mon tour à l'école régulièrement, pour rester en contact avec Shaban, et parce que j'aimais l'énergie qui se dégageait de notre mini-campus. Je m'y sentais dans mon élément. J'adorais me balader au milieu de tous ces étudiants. Shaban était beau à voir tellement il avait le vent dans les voiles.

Pour m'éviter de m'ennuyer à ne rien faire, Shaban me sollicitait de temps en temps pour faire un peu de formation d'ordre administratif. Cela me permettait de jeter un œil au livre des comptes, et de constater la bonne gestion de mon associé. Un associé à l'enthousiasme communicatif, qui me rappelait à chacune de mes visites combien nos affaires se portaient bien.

— Mieux encore que dans le plus beau de mes rêves.

À l'entendre, les étudiants étaient ravis d'être ici, les professeurs aimaient travailler dans des conditions aussi favorables, et les demandes d'inscription affluaient de toutes parts : Rwanda, Ouganda, Kenya, Tanzanie, Burundi. Shaban caressait déjà des projets d'agrandissement.

— Il faut battre le fer pendant qu'il est chaud, Hélène.

— Il faut laisser le temps au temps, Shaban.

Il m'avait regardée d'un air étonné. Nous étions tous les deux sur un nuage depuis le jour de l'inauguration. La vie nous souriait.

Notre école de métier était un établissement scolaire privé dont nous étions copropriétaires, et toute décision d'ordre financier requérait l'unanimité. Shaban dirigeait les services pédagogiques, et je l'aidais au niveau administratif : il était le capitaine et le commandant, mais il pouvait compter sur mon aide, quoi qu'il advînt.

— Attendons de faire le bilan de notre première année d'activité avant de nous laisser aller à nos rêves de grandeur, d'accord, Shaban ?

— Il faut toujours croire en ses rêves, non ?

Il avait dit cela en désignant les bâtiments autour de nous d'un grand geste de la main, bombant la poitrine comme un paon qui se pavane. Mais il pouvait faire le coq autant qu'il voulait puisqu'il n'en était pas un et que j'avais une confiance absolue en lui. Et puis, je l'adorais. Son projet d'école de métiers, il n'a jamais hésité à le partager avec moi pour le faire vivre. Je lui ai donné raison. J'ai souri.

— Oui, il faut toujours croire en ses rêves.

Patrick avait réussi son examen haut la main. Il était tellement fier d'avoir obtenu son permis qu'il le dégainait plus vite que son ombre afin de l'exhiber. Il avait même déjà pris un rendez-vous avec l'Agence de développement du transport (RTDA) afin d'officialiser son nouveau statut de chauffeur de taxi et de pouvoir transporter ses premiers clients au plus vite. Sa mère n'en revenait toujours pas. Julienne pressait le permis de son fils sur son cœur à deux mains comme une offrande sacrée. Debout à ses côtés, Patrick jubilait.

— Tu as vu ça, Héréna?

— Je vois surtout qu'il est temps d'aller acheter une moto.

Patrick s'était raidi d'un coup avant de murmurer entre ses dents.

— Quand tu veux.

— Demain.

D'après ce que j'avais lu sur le sujet, s'il n'existait pas de recette magique pour faire du microcrédit, il y avait deux ingrédients essentiels au succès: « un accompagnement personnalisé » et « une capacité organisationnelle à travailler en autonomie ». Sur le plan de l'accompagnement personnalisé, sans aller jusqu'à prendre Patrick par la main, je comptais l'encadrer de façon à lui donner le maximum de conseils et de petits trucs utiles. Pour le reste, je préférais m'en remettre au destin.

J'ai téléphoné au vendeur de motos que j'avais rencontré à la terrasse du Boui-boui. Comme il s'apprêtait à quitter le pays pour quelques semaines, il m'a invitée à venir le voir sur-le-champ. Sans hésiter, je suis allée cogner à la porte de Julienne pour attraper Patrick au passage.

— On y va?

— J'ai mon permis.

Le vendeur m'a saluée à grands coups de « mon amie » et de tapes dans le dos. Son comportement a tout de suite éveillé ma méfiance et m'a rappelé qu'un vendeur a rarement les intérêts des clients à cœur. Heureusement – bien que son meilleur prix, son « prix d'ami », dépassait de plus de 140 000 francs, soit 200 dollars, celui de son concurrent –, à force de le travailler au corps, « mon ami » a fini par nous rajouter vingt-quatre mois d'entretien et de garantie supplémentaires, ainsi qu'un deuxième casque.

Patrick m'a regardée négocier en silence. En fait, sa seule intervention concernait la couleur de la moto.

— Pourquoi la rouge ?

— Parce que la bleue coûte 30 000 francs de plus.

Patrick m'a offert un petit tour de ville avant de me ramener à la maison, afin que nous puissions nous entendre sur le montant et la fréquence des remboursements. Il ne voyait pas pourquoi j'insistais pour tout mettre par écrit.

— Parce que les écrits restent.

— Et les paroles ?

— Trop souvent s'envolent.

— Eh bien. OK.

Une fois notre entente signée, Patrick a commencé à faire des petits trajets. Il semblait assez satisfait de ses premières journées, en dehors de la gestion des relations avec la clientèle. « Ils veulent toujours que je les emmène plus loin que prévu », « Ils ne me laissent presque jamais de pourboire »... Patrick n'arrêtait pas de râler contre ses clients. Je faisais de mon mieux pour lui rappeler qu'il devait apprendre à rester ferme et à prendre son mal en patience.

— Sans client, pas de travail, Patrick.

— Je sais, je sais.

— Pas de travail, pas de moto.

— C'est bon, j'ai compris.

— Y compris la règle d'or ?

— La maison ne fait pas de crédit.

J'avais beau lui faire la leçon, j'avais de plus en plus l'impression de tourner en rond.

J'ai décidé d'aller à mon petit hôtel profiter des derniers beaux jours. Le mois de mars approchait à grands pas, avec son lot de pluies.

Je suis arrivée tôt à Kigali pour jouir au maximum de la clarté avant la tombée de la nuit et arpenter la ville sous les rayons du soleil. J'avais besoin de me changer les idées, et d'un bon massage traditionnel. Ma séance de soins était réservée pour la fin de journée. J'avais donc tout mon après-midi pour faire, d'un pas tranquille, le grand tour de Kigali. Malgré mes raideurs au cou. Même si mon collier cervical – pour parler comme ma massothérapeute – me faisait souffrir le martyre. Depuis toujours, le stress se plantait dans mon cou comme un couteau, mais il était hors de question de laisser la douleur gâcher ma journée. Mes escapades citadines servaient justement à me sortir de ma routine, elles étaient mes soupapes. Ces parenthèses de vie en dehors de Kimironko et de Kayonza me permettaient de me frotter à toutes sortes d'autres gens. Les petits intermèdes d'une *Muzungu* solitaire toujours prête à festoyer avec de nouveaux visages, et parfois heureuse de renouer avec le confort d'une chambre d'hôtel.

Le massage m'avait à la fois débloqué les vertèbres cervicales et anéantie. Chaque muscle de mon corps était aussi dénoué que détendu. En traversant la rue vers le stand à journaux en face de l'hôtel, je me sentais comme une poupée de chiffon. J'ai attrapé un exemplaire du *New Times*, mais j'ai eu toute la difficulté du monde à sortir un billet de ma poche pour le tendre au kiosquier. Je me sentais dans un état de mollesse extraordinaire. À la fois fragile et vulnérable. Je me suis dirigée vers le bar, où je me suis commandé un thé et une grande bouteille d'eau.

J'ai siroté mon thé en feuilletant le journal. L'horloge derrière le bar indiquait 20 h 22. Les musiciens accordaient leurs instruments. Je connaissais bien le groupe congolais prévu au programme. Je l'avais découvert lors d'un séjour au lac Kivu pendant mon premier voyage. Il faisait la tournée des hôtels et se produisait ici un mois sur deux. En général, je m'arrangeais pour ne pas le manquer. Il avait le don d'enflammer la foule et de donner envie de danser jusqu'au petit matin.

Recherche d'emploi oblige, je lisais les journaux avec plus d'attention depuis déjà quelques semaines. Je prenais des notes dans un petit cahier. Je lisais, je cherchais des indices dans chaque article. Une idée de départ, un signe de bon augure, une possibilité insoupçonnée. Travailler au Rwanda ne me faisait pas peur, mais je ne connaissais pas bien les codes et conventions en vigueur dans le monde du travail en Afrique de l'Est. En fait, mis à part le projet de l'école et mon projet de microcrédit, ma seule expérience professionnelle en Afrique avait eu lieu au Mali.

J'ai pensé à mon frère Jean-Luc.

« Au fond, que cherches-tu ? »

Aider.

« Aider ? »

J'avais l'impression de radoter. Au lieu d'« aider », j'ai écrit « contribuer » dans mon cahier. Le bar était déjà plein à craquer. Les musiciens montaient tour à tour sur scène. La soirée était sur le point de débuter. Max, le serveur, s'est approché de moi sur la pointe des pieds.

« Contribuer au développement du pays. »

— Encore un peu d'eau ? Un peu de thé ?

— L'eau, ça fait rouiller. Donne-moi donc une grande Mutzig chaude.

Vingt et une heures trente. Les premières notes résonnaient dans la salle. Les pieds me démangeaient. Mon corps moulu de fatigue résistait à la tentation de danser. En page 21 du *New Times*, un article a attiré mon attention.

En surtitre : « *Rwanda Development Board* ».

En titre principal : « Building a better future for Rwanda ».

Mon cœur s'est mis à battre comme un tambour. Je me suis plongée dans la lecture du texte. J'ai décortiqué les informations. Identifié les objectifs. Noté les idées qui me venaient au fur et à mesure. Relevé le nom de la personne chargée de mettre sur pied le *Rwanda Development Board* (RDB). Selon le journal, le RDB s'inscrivait dans la « Vision 2020 » du président Kagame, c'est-à-dire le programme de développement économique à long terme du pays. À ce titre, la mission fondamentale du RDB était de réduire la dépendance du Rwanda vis-à-vis de l'aide internationale (d'après l'article, son budget global en dépendait à plus de 60 %) et de mener le pays vers l'autosuffisance économique. Pour se libérer de la tutelle étrangère, le gouvernement avait fusionné huit organisations gouvernementales et transféré tous leurs fonctionnaires. Selon le *New Times*, il était important pour le président Kagame que le RDB fonctionne comme une entreprise privée : le choc culturel s'annonçait donc brutal pour les anciens employés de l'État.

À mesure que je relisais l'article, un petit sourire s'était dessiné sur mes lèvres. Le *band* jouait maintenant à tue-tête et étouffait les voix. C'était plus fort que moi. Je devais le dire à voix haute.

— Hélène Cyr pourrait peut-être bien participer à tout ça, non ?

Sur ce, je me suis levée de ma chaise et j'ai scruté la salle, à la recherche d'un partenaire de danse.

J'ai tourné et tourné presque toute la nuit dans mon lit pendant que ça tournait et tournait dans ma tête. C'était plus fort que moi. Je me voyais frapper à la porte du RDB pour rencontrer Mme Clare. J'imaginais tous les obstacles à surmonter. Un gardien de sécurité à l'entrée. La personne à l'accueil. Son assistante. Ce manège m'a tenue éveillée jusqu'au lever du jour.

Une odeur insistante de bière et de sueur flottait toujours dans la salle lorsque je m'y suis rendue pour le petit-déjeuner. J'ai relu l'article en mangeant mes quartiers de mangue. Mon bus n'était pas avant 11 heures. Quand la patronne s'est arrêtée à ma table pour faire un brin de jasette, je n'ai pas pu m'empêcher de lui parler du RDB. Elle ne savait rien de mon ancienne vie et n'avait jamais entendu parler de ce nouvel organisme parapluie censé affranchir son pays.

— Tu serais bonne pour le Rwanda, Héréna.

— Tu le crois ?

— Non, je le vois.

— À quoi ?

— À toi.

— À moi ?

Je me demandais comment ne pas rougir comme une tomate après ces mots, quand le téléphone a sonné. L'assurance de la patronne m'ébranlait. Je devais me rendre à l'évidence : cette affaire de RDB me faisait rêver. Sans vouloir m'emballer, je me disais que si, par chance, cela fonctionnait, je pourrais à la fois relancer ma carrière et vivre au Rwanda. J'étais en train de mettre la charrue avant les bœufs, je le savais très bien, mais c'était plus fort que moi. Parce que ma vie était ici. Je le savais.

Je suis remontée à ma chambre pour me doucher. La journée était déjà pleine de promesses.

Lors du trajet de retour, assise dans le bus, je ne regardais plus Kigali du même œil. Chaque coin de rue représentait une opportunité, la moindre avenue poussiéreuse une possibilité. En arrivant à Kimironko, je suis allée courir, pour tenter de revenir un peu sur terre. De toute façon, il n'y avait personne à la maison. Julienne était au Centre, Vanessa à l'école, Willy avec ses amis, et Patrick – je l'espérais – à cheval sur sa moto.

Avant de partir, je l'avais confronté quand il m'avait annoncé qu'encore une fois, il ne pouvait pas me rembourser cette semaine-là, alors que notre entente stipulait qu'il devait me verser un montant fixe tous les sept jours. Or, après six semaines, il ne m'avait toujours pas donné un cent. Six semaines, et il me présentait – encore – ses plus plates excuses.

— On fait quoi alors ?

— Tu dis quoi ?

Ce n'est pas que j'avais un besoin urgent de cet argent, mais il était important pour moi que Patrick tienne parole. Ne fût-ce que pour donner tort à cette petite voix en moi qui me répétait que ç'avait été une erreur de lui acheter la moto.

Je l'ai regardé droit dans les yeux pour le sonder sur ses intentions.

— Je te dis qu'on a une entente, toi et moi, et que tu ne la respectes pas.

— Ç'a été un mois difficile, Héréna.

— Bienvenue dans le monde des affaires.

Du haut de son quart de siècle, Patrick savait parler, mais pas agir. Il trouvait la vie injuste et portait en lui une grande colère. Julienne m'avait pourtant prévenue.

— Il ne lève jamais un doigt.

— C'est un bon garçon.

— Il s'attend à ce que tout lui tombe du ciel.

— Il est encore jeune.

— Il a 25 ans.

— Vingt-cinq ans?

Après le souper, Julienne et moi avons pris la direction du Boui-boui. J'avais hâte de lui parler de l'article du *New Times* et de mon envie d'aller cogner à la porte du RDB. Une lueur d'espoir brillait dans ses yeux.

— Tu vas rester à la maison?

— Si ça fonctionne.

Sa question m'a surprise. Je ne me voyais pas vivre ailleurs.

— C'est certain qu'ils vont avoir besoin de toi, Héréna. On a tous besoin de toi, ici.

J'ai senti mon cœur se serrer. J'ai posé ma main sur la sienne. Julienne regardait ailleurs. Zoé nous observait du coin de l'œil. Le patron est venu voir s'il nous manquait quelque chose. Quand je parle de Julienne lorsque je suis au Canada, je la décris et la présente comme ma deuxième mère puisqu'elle me traite un peu comme sa fille. C'est d'ailleurs ma mère, la vraie, qui a le mieux résumé le lien de connivence qui nous unit, Julienne et moi: « Tu as deux familles à présent. Une ici et une autre là-bas. »

Julienne m'a acceptée comme membre à part entière de sa famille. Elle m'a raconté des bribes de son histoire, mais sans jamais entrer dans les détails. Par pudeur. Pour éviter que je la prenne en pitié. Je ne sais pas si c'est l'approche du mois d'avril et des commémorations du génocide, ou la possibilité de me voir trouver un travail et de continuer à vivre chez elle, mais elle a eu envie de se confier à moi ce soir-là.

— Je ne t'ai pas tout dit, Héréna.

— Tu ne me dois rien, Julienne.

— C'est à moitié vrai, ça.

— Tu m'as dit le plus important. Tu m'as dit ce que tu voulais me dire.

Julienne s'est redressée sur sa chaise de plastique, puis, fermant à demi les yeux, elle s'est lancée dans un long monologue. La vie ne nous prépare pas pour ce genre de moments. Je l'écoutais en silence. Chaque mot qu'elle prononçait était lourd de sens. Certains m'ont frappée de plein fouet. D'autres m'ont effrayée au plus haut point.

Julienne habitait à Kigali à l'époque, avec son mari et leurs trois jeunes enfants, Patrick, Josiane (Jojo) et Wilson (Willy). Vanessa n'était pas encore née. La nuit était déjà tombée. Julienne venait de servir le souper. Ils étaient tous les cinq attablés devant leur assiette quand des miliciens armés ont défoncé la porte. Ils étaient grands, ivres, fous de rage et couverts de sang. Aussi redoutables que terrifiants. Ils ont agité leurs machettes en l'air et leurs gourdins sous le nez des petits, puis le plus grand de la bande a contourné la table à grandes enjambées et, d'un coup de machette, décapité le mari de Julienne. Devant sa femme et ses enfants.

La tête du mari de Julienne roulait encore sur le plancher quand le plus grand des miliciens leur a ordonné de ne pas bouger et d'attendre qu'ils reviennent finir ce qu'ils avaient commencé.

Julienne a interrompu son récit au milieu d'une phrase. Je n'osais pas intervenir. Elle ne s'était jamais ouverte à moi à ce point. Je lui ai repris la main. Elle m'a regardée avec son sourire triste.

— Il venait de tuer mon mari comme une vache devant mes enfants, et il voulait que je l'attende ?

Tétanisée par la peur, Julienne a pris ses enfants dans ses bras le temps que les miliciens sortent de la maison. Elle a attendu de pouvoir s'enfuir dans la nuit. Pendant deux jours, ils ont ensuite marché sans s'arrêter, avant de croiser une longue colonne de réfugiés hutus qui s'en allaient à pied vers le Congo. Une voix à côté d'elle a retenti :

— Julienne ?

— Euh...

Au milieu de cette masse grouillante qui soulevait un épais nuage de poussière rouge sur plusieurs kilomètres, elle a découvert une poignée de visages familiers. Elle était épuisée. Cela faisait plus de deux jours qu'elle transportait Willy dans ses bras. Josiane et Patrick s'étaient retournés pour voir qui pouvait bien héler leur maman dans cette marée humaine habillée de toutes sortes de couleurs éclatantes. Dans un sens, des milliers de Hutus qui s'enfuyaient vers le Congo, escortés par des légionnaires. Dans l'autre, des Tutsis aux portes de l'enfer.

— Julienne, c'est toi ?

— Léopold ?

La famille de Julienne venait d'un village voisin de celui de la famille de Léopold. Une famille vivait de l'élevage et l'autre, de l'agriculture. Un lien étroit unissait les deux clans depuis la nuit des temps. La terre des ancêtres des uns était aussi la terre des ancêtres des autres. La voix tremblante de Léopold trahissait son désarroi. Julienne était quant à elle à bout de forces. Ses enfants ressemblaient à des morts-vivants.

Le groupe avançait pas à pas. Dans un moment de désespoir, Julienne a refilé son petit de cinq ans à Léopold. C'était peut-être le seul moyen de sauver Willy tout en arrivant à protéger Patrick et Josiane. Willy hurlait à pleins poumons tandis que sa mère s'éloignait avec son frère et sa sœur sans se retourner ni se douter de ce qui les attendait de l'autre côté de la colline escarpée.

Le temps d'atteindre le sommet, il était déjà trop tard. Le cœur brisé et les pieds ensanglantés, Julienne s'est agenouillée devant les deux miliciens qui gardaient l'entrée du campement. Une forte odeur de pourriture flottait dans l'air. Des chiens errants aboyaient au loin. Les yeux écarquillés par la peur, les enfants tremblaient d'horreur. Julienne a répliqué aux deux miliciens qui la narguaient avec leurs machettes qu'elle était prête à accueillir la mort comme une douce amie. Pour seule réponse, le premier l'a attrapée par les cheveux pour la traîner dans la poussière jusqu'à une vieille baraque en bois coiffée d'un toit en tôle, tandis que le deuxième jetait Jojo par-dessus son épaule pour l'emmener souffrir le martyre.

Prisonnière de l'horreur absolue, Julienne a attendu – et même prié – pour que la mort l'emporte, mais la mort n'a pas voulu d'elle. Ce que Julienne a vu et entendu pendant cette boucherie abominable devait toutefois la hanter et la pourchasser sans répit, jusqu'à la fin de sa vie.

Après la fin des massacres, Julienne a mis plusieurs mois pour trouver la force et le courage de se rendre dans un centre pour enfants portés disparus, où le gouvernement temporaire recueillait les informations et rassemblait les cadavres.

— C'est comme ça que j'ai retrouvé Willy.

J'étais suspendue aux lèvres de Julienne. Mon souffle se mêlait au sien. Cela faisait plus ou moins deux ans que le Rwanda faisait partie de ma vie. Mis à part Nicole, les premières personnes avec lesquelles j'avais tissé des liens en arrivant ici étaient des survivantes du génocide. Ces femmes étaient profondément traumatisées, je le savais, mais je n'arrivais pas à réaliser les horreurs qu'elles avaient traversées. Chaque histoire que j'entendais me bouleversait. Chaque récit personnel me poinçonnait de nouveau le cœur. Je n'avais jamais rencontré de gens dotés d'une telle résilience. Julienne était si gentille et si accueillante, malgré tout ce qu'elle avait connu. Sa douceur m'apparaissait encore plus impressionnante, après tout ce que ses yeux avaient vu.

Le patron commençait à mettre les chaises sur les tables. Tout le monde était parti, même Zoé. Julienne a poussé un grand soupir avant de se redresser sur sa chaise.

— Bon, on rentre?

— C'est quand tu veux.

Nous avons salué le patron avant de plonger dans la nuit opaque. La lune cachée dans les nuages éclairait à peine la rue défoncée. Nous avons marché, bras dessus bras dessous, comme si de rien n'était. Je ne savais pas trop quoi dire ni comment relancer la conversation. C'est elle qui a reparlé la première.

— Patrick n'a toujours pas commencé à te rembourser?

Sa question m'a un peu prise de court.

— Non.

Julienne se doutait bien que son fils était en retard dans ses paiements. Il passait plus de temps sur son divan que sur sa moto.

— Tu lui as parlé?

— Oui.

Nous marchions pratiquement à l'aveugle. De la lueur d'un réverbère à celle du suivant. L'approvisionnement en électricité était aléatoire dans le quartier, et les pannes récurrentes. Nous longions les murs de ciment et les clôtures végétales. Nous avancions à tâtons dans une obscurité quasi complète. Les contours flous de la maison se dessinaient lentement. Nous y étions presque, mais pas tout à fait. Julienne en a profité pour me répéter l'un des mantras de ma mère.

— Ton problème, c'est ta solution.

— Mon problème?

— Tu en as déjà fait beaucoup pour Patrick. Mais si, un jour, trop c'est trop pour toi, je ne t'en voudrai pas, Héréna.

— Je sais.

ENVOÛTER

Je ne sais pas si c'est parce que les enfants du quartier riaient moins fort ou s'agitaient plus doucement que les autres jours, mais c'est la sonnerie de mon téléphone qui m'a réveillée ce matin-là. J'ai décroché mon portable en m'étirant comme un chat.

— Allô ?

— J'aimerais parler à Mme Cyr, s'il vous plaît.

La voix à l'autre bout du fil était un peu rauque et le ton très officiel. La ligne grésillait comme si on appelait de l'étranger. J'ai éloigné l'appareil de mon oreille pour tenter de déterminer la provenance de l'appel, en vain.

— De la part de... ?

— Du sergent-major... de la CARIQ... en mission au Soudan.

— Vous lui parlez.

— Je vous appelle à propos de votre annonce sur eastafricabiz.com.

— Sur *East Africa... What* ?

Je n'en croyais pas mes oreilles. J'avais mis mon vieil ordinateur à vendre sur Internet la veille en croisant les doigts... Et je me faisais réveiller par un militaire d'une extrême politesse en mission de paix au Soudan. Sans trop s'attarder sur les détails techniques, il m'a expliqué que l'ordinateur était destiné à son fils.

— Il est étudiant à la faculté de pharmacie à l'Université du Rwanda.

— Il s'appelle comment ?

— Dydine. Je m'occupe du virement bancaire aujourd'hui et vous vous occupez du reste avec lui ?

— Oui, monsieur.

— Merci, madame.

Dix minutes plus tard, je recevais à la fois un courriel et un texto du dénommé Dydine, qui me proposait de le rencontrer le samedi en huit.

— En huit ?

— Pas ce samedi, mais l'autre.

La soirée au Boui-boui avec Julienne nous avait encore rapprochées. Une complicité tantôt tacite, tantôt explicite régnait désormais entre nous. De son côté, Patrick continuait à m'éviter comme la peste, et à ne pas tenir parole. À moins d'un miracle, le jour du « trop c'est trop » approchait à grands pas. Mais Patrick était la dernière de mes préoccupations aujourd'hui. J'avais bien d'autres choses à faire, à commencer par envoyer un texto à Momo pour qu'il me réserve un siège dans le prochain bus en direction de Kayonza.

J'avais envie de passer quelques jours sur le campus de l'école avec Shaban et de le sonder au sujet du projet du RDB. Il avait été chauffeur-camionneur dans l'armée rwandaise et comptable dans un conseil régional. Il pouvait bien me conseiller.

— Tu ne devrais même pas hésiter.

— Ah bon ?

— Tout est à construire, Hélène.

— Je sens que je pourrais leur être utile.

Shaban était en feu depuis l'ouverture de notre nouvelle école. Libéré de ses problèmes de sécurité et de salubrité, il pouvait se concentrer à la fois sur la qualité du suivi éducatif et pédagogique, et sur le bien-être de ses étudiants. Son entrain était contagieux. Sa fierté sans égale. Sa profonde humilité exemplaire. Il a sorti son dossier « Hélène » de son tiroir. Mes passages en ville étaient toujours une occasion en or de faire le point ensemble et de résoudre les problèmes et questions en suspens. À commencer par son projet d'agrandissement.

Venir à Kayonza me faisait toujours du bien. Retrouver l'énergie de la jeunesse sur le campus avait l'effet d'une injection d'adrénaline. Tout comme observer le sérieux et la rigueur avec lesquels Shaban assumait ses fonctions de directeur était une puissante source d'inspiration dans ce bref moment de vertige existentiel que je traversais.

L'après-midi tirait à sa fin. Les élèves avaient quartier libre jusqu'à l'heure de passer à table. Organisation sans faille, respect des horaires, comportements convenables. Shaban ne lésinait pas sur l'importance de la discipline collective. J'ai envoyé un texto à Momo pour lui confirmer mon billet de retour.

— Je te raccompagne en moto ?

— Tu veux construire une nouvelle école ?

Shaban a levé les yeux au ciel en souriant. C'était la première fois que je montais derrière lui depuis qu'il m'avait emmenée en balade dans son champ de bananes pour me faire part de son rêve. Depuis, beaucoup d'eau avait coulé sous les ponts. Et dire qu'un frisson de doute m'avait traversée au moment où il s'était engagé dans la direction opposée à la gare !

Je suis montée à califourchon sur sa moto et je l'ai enserré de mes bras. Le moteur a toussoté un peu avant de cracher un gros nuage noir et la moto a démarré. Nous étions devenus très proches, Shaban et moi, depuis cette première balade. Nous avions bâti bien plus qu'une école ensemble. Nous formions bien plus qu'une bonne équipe tous les deux. Une confiance absolue régnait entre nous. Nous avions l'exigence de la vérité et de la transparence. Une liberté de parole qui ne se discutait pas.

Je me suis collée à lui et je l'ai serré très fort dans mes bras avant d'arriver à la gare. Mon casque et son casque s'entrechoquaient dans un bruit de plastique au milieu des rêves qu'il nous restait à réaliser.

— Tu m'appelles s'il y a quoi que ce soit ?

— *Yes, dear !*

Nous nous sommes fait la bise et je l'ai regardé disparaître dans un nuage de fumée noire. Me retournant sans trop faire attention, je me suis retrouvée nez à nez avec un homme au visage vaguement familier, qui m'a fait sursauter.

— Faut regarder où vous marchez, madame.

— Très drôle.

Momo m'a tendu mon billet en rigolant avant de m'attraper par la main et de me guider à travers la foule. Il y avait un vacarme de tous les diables aux abords de la gare routière. Momo marchait d'un pas rapide.

— Faut faire vite, madame.

— Faut regarder, faut faire vite... Ça va, Momo?

— Ils manquent de bus. Plusieurs routes ont déjà été annulées...

— Tu dis quoi?

Il a tendu mon billet au chauffeur qui m'a fait signe de m'asseoir sans tarder du côté de la fenêtre dans la première rangée derrière lui. J'avais l'impression d'être aux premières loges. Momo a fait le tour du bus pour venir faire un petit brin de jasette à travers la fenêtre. Au milieu du tourbillon, je n'avais pas remarqué le gros bandage qu'il portait à la main. Je lui ai tendu son pourboire.

— Ça va, l'école?

— Ça va, ta main?

— Vous n'avez pas besoin d'un homme à tout faire, par hasard?

— Toi?

— Ma maison a passé au feu. Ma famille est à la rue. J'ai besoin d'un vrai travail. Je n'en peux plus des petits boulots.

— Tu as ton permis de conduire?

— Toutes catégories, sauf pour les avions et les hélicos.

— Je vais ouvrir l'oreille pour toi.

Je me suis levée en pleine forme le vendredi. Pour la première fois depuis longtemps, j'avais réglé mon réveille-matin avant de me coucher, et avais demandé à Julienne de bien repasser mon « uniforme de travail ». J'étais debout bien avant l'heure. J'en étais à enfiler ma veste noire par-dessus ma chemise blanche quand la sonnerie a résonné dans la pièce.

Julienne était déjà debout depuis un moment. L'*imbabura* fumait lentement. Elle m'a accompagnée jusqu'à mon taxi en silence. Elle savait qu'après ma visite au RDB, j'allais profiter de mon passage à Kigali pour aller me faire masser et passer la soirée à l'hôtel. Je portais mon sac à dos d'une main et ma mallette de l'autre.

— Tu m'appelles en sortant.

— Sans faute.

J'ai donné l'adresse de l'hôtel au chauffeur. La circulation était normale. Kigali calme et paisible. La patronne m'a remis la clef de ma chambre et fait part des prévisions météo. J'ai gravi l'escalier pour aller déposer mon sac à dos dans ma chambre avant de redescendre prendre mon petit-déjeuner. Le serveur m'a saluée amicalement. Le panier tressé débordait de mangues bien mûres faciles à peler et à dénoyauter. J'en ai attrapé trois d'un coup avant de m'installer à une table près de la fenêtre pour tailler dans leur chair juteuse. La patronne m'a apporté le journal du jour et une grande bouteille d'eau minérale. J'ai parcouru un magazine d'un œil distrait tout en me préparant mentalement... à aller frapper à la porte de quelqu'un sans prévenir pour essayer de lui vendre quelque chose, en l'occurrence moi.

J'ai demandé à la patronne de m'appeler un taxi pour me conduire au siège du RDB, puis j'ai attrapé ma mallette et je suis allée attendre sur le trottoir. Une demi-heure plus tard, j'étais devant un immeuble de bureaux moderne couleur crème, aux parois vitrées bleu métallique, et sur lequel flottait le drapeau du Rwanda. Une grande enseigne lumineuse ornée des mots *Rwanda Development Board* trônait au milieu du stationnement. À l'intérieur, la peinture était encore fraîche et des fils de toutes les couleurs pendaient des plafonds. Un peu partout, des ouvriers s'affairaient. Des tables et des chaises empilées occupaient les espaces bureau du rez-de-chaussée. J'ai franchi les barrières blanches devant l'entrée de l'immeuble, avant de saluer les deux gardes de sécurité et de me présenter à l'accueil, où une jeune femme au look étudié m'a poliment, mais sèchement, souhaité la bienvenue.

— Je viens rencontrer Mme Clare.

— Vous avez rendez-vous ?

— Je viens du Canada.

— Je vous prie de patienter.

Elle m'a invitée à m'asseoir dans un des trois fauteuils en cuir de l'entrée frais sortis de leurs boîtes. C'était le poste d'observation idéal. Au pif, l'immeuble ne comptait pas plus de cinq étages. L'espace central organisé autour d'un grand atrium formant une immense aire ouverte au milieu de l'immeuble. Les couloirs des étages étaient en réalité des balcons, et les bureaux avaient tous des fenêtres. Le doute a envahi mon esprit. Éviter de succomber au syndrome de l'imposteur. Ouvrir ma mallette. En sortir mon CV. Surqualifiée ? Avais-je bien fait de l'apporter ?

Une voix m'a sortie de ma torpeur.

— On avait rendez-vous ?

Tailleur classique. Visage fermé.

— Candidature spontanée.

Je lui ai tendu la main. Premier contact.

— Hélène Cyr.

— Mme Clare.

Effet « mur froid ». Air détaché. Silence inconfortable.

— Votre projet m'intéresse. Je cherche un emploi. Voici mon CV.

Elle l'a parcouru en vitesse.

— Spécialiste en planification stratégique et organisationnelle ?

— Oui.

Mon titre m'a valu une invitation à la suivre jusqu'à son bureau. Elle a replongé son nez dans mon CV pendant que l'ascenseur grimpait vers le dernier étage.

— Vous êtes hautement qualifiée.

— Ne faites pas trop attention à mon CV.

— Pourquoi ?

— Parce que je suis prête à faire à peu près n'importe quoi.

— N'importe quoi ?

— Pour aider.

Le bureau de la directrice des opérations (*chief operating officer*, COO) était situé au dernier étage. Pour accéder à ce haut lieu de pouvoir, il fallait d'abord parcourir une longue galerie ouverte qui donnait sur l'atrium central, franchir une porte de verre et passer par l'inspection-filtrage de son assistante. J'ai salué cette dernière d'un petit signe de la tête pendant que je contournais son immense bureau en acajou.

La directrice m'a invitée à m'asseoir. La dernière fois que j'avais mis les pieds dans un bureau pareil, c'était pour remettre ma démission. Deux ans plus tard, j'étais prête à me mettre à genoux pour travailler auprès de la dame assise en face de moi. Le soleil rougeoyant offrait une belle vue sur Kigali à travers les murs vitrés.

— Votre profil est intéressant.

Je me suis redressée sur mon siège. Intéressant? Je me suis toujours méfiée de cet adjectif qui éveille la sympathie et entretient l'ambivalence en même temps.

— Vos compétences correspondent à nos besoins.

Elle employait un ton neutre et factuel. Mme Clare devait avoir été diplomate dans une autre vie – ou bien meneuse de jeu au « ni oui ni non ».

— On entre dans la phase de restructuration.

— La peinture sur les murs n'est même pas sèche.

— On commence tout juste.

— J'imagine l'ampleur du défi.

— On n'a rien pour vous.

— Ah!

Un silence inconfortable s'est installé dans la pièce.

— Enfin, pas pour l'instant.

— Je comprends.

Nouveau silence. Je ne savais pas trop si je devais me lever et sortir, ou bien attendre qu'elle me donne congé.

— Vous êtes ici pour longtemps?

— J'habite à Kimironko.

— À Kimironko ?

— À côté de la prison.

Elle m'a regardée d'un œil curieux.

— Depuis quand ?

— Plus ou moins deux ans.

— Et vous faites quoi ?

— Un peu de bénévolat ici et là.

— Ah !

Son langage corporel a changé subitement. De formellement froide qu'elle était, elle s'est enfin ouverte pour me parler d'un projet pilote qu'elle comptait bientôt mettre en œuvre : uniformiser les pratiques et développer les compétences des fonctionnaires nouvellement assignés au RBD. En d'autres mots, opérer un changement radical de mentalité.

— C'est à cet instant qu'on devrait faire appel à des expats.

— *Expats* ?

À la croire, la décision finale n'était pas entre ses mains, mais entre celles du responsable du programme d'aide et de soutien économique à la Banque africaine de développement.

— On lui a transmis une demande. On devrait recevoir sa réponse d'ici trois mois.

— Trois mois ?

Je suis ressortie de son bureau la mine basse et j'ai redescendu les six étages à pied en cachant mal ma déception. Moi qui aurais été prête à commencer sur-le-champ ! D'un autre côté, la poignée de main échangée à la fin avec Mme Clare avait été juste assez chaleureuse pour entretenir une lueur d'espoir. Tout comme ses encouragements répétés à la recontacter dans trois mois.

J'ai effacé la déception palpable de mon visage pendant qu'un taxi me ramenait à l'hôtel. Mon coup de bluff avait sans doute eu un résultat mitigé, mais il n'était pas encore midi et j'avais toute la journée devant moi. J'ai traversé la rue pour aller m'acheter le journal avant de rentrer à l'hôtel, où la patronne a essayé en vain de m'attraper dans ses filets pour faire un brin de jasette. Elle avait l'air tout excitée. J'ai grimpé deux par deux les marches de l'escalier jusqu'à l'étage de ma chambre et quitté au plus vite mon uniforme de *businesswoman*.

J'ai regardé ma montre : avec les six heures de différence entre Montréal et Kigali, il était encore trop tôt pour appeler ma mère. J'ai lu le journal de la première à la dernière page en attendant. Ma mère avait insisté pour que je lui téléphone en sortant de mon rendez-vous. Dès qu'il a été une heure convenable, j'ai composé son numéro.

— Trois mois ?

— C'est ce qu'elle m'a dit.

— Et tes chances sont bonnes d'après toi ?

— Cinquante-cinquante ?

Nous nous sommes retrouvées coincées dans une espèce de long silence, avant que l'optimisme à toute épreuve de ma mère finisse par renverser la vapeur.

— Ça te donne trois mois pour trouver mieux.

— Pour trouver mieux qu'aider à reconstruire le pays ?

— Et faire plein de bonnes choses entre-temps.

— Trois mois pour influencer le destin.

Parler à ma mère m'avait remonté le moral d'un coup. J'en ai profité pour m'arrêter et réfléchir. J'avais pris un carnet pour noter mes impressions à chaud en sortant de la rencontre, mais la conversation avec ma mère m'a encore plus aidée.

Comme c'était écrit sur la carte d'affaires de Momo, « tout est possible ».

J'ai sorti un stylo de ma mallette pour noter le mot « tout » en haut de la première page de mon nouveau carnet. Une avalanche d'idées s'est mise à débouler : « faire preuve d'audace, persévérer dans le microcrédit, forcer le destin, aller voir Emmanuel, envisager la possibilité d'agrandir l'école, assister au discours du président avec Julienne, Patrick, relancer le RDB dans un mois, provoquer les choses... »

Ma mère avait raison. Trois mois, c'est court et long à la fois. Et puis, le RDB n'était qu'une possibilité parmi tant d'autres.

À force de noter tout ce qui me venait, je me suis retrouvée avec un agenda-carnet rempli de possibilités. Je l'ai refermé. Profitant du regain de vitalité que le coup de fil avait provoqué en moi, je n'ai pas seulement fait le point sur mon plan de vie, j'ai aussi fait le point sur mes finances.

Si parler à ma mère m'avait requinquée, ma petite séance de remue-méninges, elle, avait apaisé ma conscience. C'est fou comme prendre le temps de remettre de l'ordre dans ses affaires aide à y voir plus clair !

Trois mois...

Trois mois !

J'ai eu peur tout à coup. Peur de manquer de temps. Peur de passer à côté de plein de bonnes choses. Peur de ne pas arriver à faire toutes les choses qui se trouvaient dans ma liste de « choses à faire ». Enfin, pas en trois mois. Pas avant de repartir à Montréal pour l'été.

Je me suis retournée pour me regarder dans le grand miroir de ma petite chambre avant d'éclater d'un rire nerveux : méchant paquet de nerfs.

Je me cherchais du boulot parce que j'étais arrivée au terme de mes deux années sabbatiques et que je devais respecter le contrat que j'avais passé avec moi-même. Même si... même si je disposais de réserves financières suffisantes pour tenir encore un bon moment.

Trois mois ?

À vrai dire, j'avais encore beaucoup de pistes à explorer. Il suffisait d'égrener ma liste de « choses à faire » pour se rendre à l'évidence.

Je me suis levée de ma chaise pour échapper à cet élan de panique injustifié. Ma chambre d'hôtel était toute petite : large de quelques pas à peine, plus un dé à coudre en guise de douche. J'ai pris une grande inspiration et jeté un œil par la fenêtre. Il me restait tout juste deux heures de clarté pour flâner en ville. J'ai glissé mon carnet dans la poche arrière de mon jean et je suis sortie de l'hôtel sans plus me poser de questions.

Dehors, Kigali grouillait de vie. Femmes, poules, militaires, chats, enfants. La ville vibrait d'une énergie presque sauvage. Hommes, motos, chiens, camions, vendeurs ambulants. J'ai d'abord remonté la rue principale sans vraiment savoir où j'allais. La foule était dense. Les trottoirs encombrés. J'ai pris la première rue à droite pour fuir la cohue avant de me diriger vers un petit bar où j'avais mes habitudes. Mon cerveau tournait un peu moins vite, même si je n'arrivais pas à m'arrêter de penser. Heureusement, il s'est mis en veilleuse lorsque je suis entrée dans le bar.

J'ai dansé avec les musiciens du *band* congolais jusqu'à tard ce soir-là. Parler avec eux me donnait encore plus envie d'aller explorer ce grand pays que son passé colonial et les richesses de son sous-sol condamnaient à la misère et à la pauvreté. Quand je suis arrivée à la maison le lendemain, j'avais encore le visage chiffonné et les yeux gonflés. Julienne balayait devant sa porte. Elle m'a accueillie avec le sourire de celle qui s'en fait.

— Dis-moi tout.

— J'ai mal aux pieds.

Elle a levé les yeux au ciel. Elle ne songeait pas à rire.

— Tu travailles pour mon pays?

— Ton pays ne semble pas avoir besoin de moi.

— Sans blague?

Je lui ai raconté la version courte de ce qui m'était arrivé. Julienne avait l'air à la fois confiante et rassurée.

— Ça viendra quand ça viendra.

— D'ici trois mois ou pas.

Au loin, Patrick descendait la rue avec des jeunes du quartier. La poussière s'accumulait sur la moto dans le fond du jardin. Mon regard demeurait fixé sur lui pendant que Julienne me sondait du sien. J'avais besoin de l'avis de mon amie avant d'agir.

— J'ai décidé de lui reprendre la moto.

— Il n'y a que toi qui sais.

— Je ne veux pas qu'on se fâche, tous les deux.

— Il ne te paie pas.

J'ai posé ma main sur sa main. Il nous arrivait de plus en plus souvent de laisser le silence débroussailler les choses entre nous.

— Tu connais quelqu'un qui a besoin d'une moto ?

— Je connais quelqu'un avec une famille à nourrir.

J'ai attrapé Patrick au vol alors qu'il passait devant la maison avec ses amis.

— Tu as mon argent ?

— Dans peu.

— Tu ne respectes pas notre entente, Patrick.

— C'est difficile, tu sais.

Je lui ai lancé un regard noir pour freiner son élan. Le bureau des plaintes et des lamentations était fermé. J'ai tendu une main vers lui. Ses copains suivaient la scène avec attention. Patrick a regardé le creux de ma paume vide et il a vite compris. Il a donné un coup de pied sur un petit tas de cailloux sur le bord de la route avant de se résoudre à aller chercher les clefs et les papiers de la moto dans la maison. Des petits nuages de poussière rouge se formaient sous ses pas pendant qu'il marmonnait entre ses dents en s'éloignant.

J'ai observé ses copains qui discutaient entre eux de l'autre côté de la rue. À l'image des Trois Mousquetaires, ils étaient toujours ensemble, tous les quatre, et la tentation de les tenir en partie responsables de l'attitude de Patrick était forte. Mais ça aurait été laid de ma part. Surtout que je les connaissais à peine. Je ne les avais rencontrés que la fois où ils étaient venus me voir – sans Patrick – pour me demander de financer leur projet de salle de billard.

Le temps me paraissait de plus en plus long et j'avais de plus en plus de mal à cacher mon impatience. J'en étais à me demander si Patrick ne le faisait pas exprès lorsque je l'ai vu sortir de la maison avec Julienne. À la tête qu'ils faisaient, j'imaginais très bien la nature de ce qu'ils s'étaient dit. Patrick m'a remis les clefs et les papiers sans prendre la peine de s'arrêter. Julienne a cherché à l'apostropher, en vain, avant de se retourner vers moi avec un air las et dégoûté. Du coup, elle n'a pas pu voir Patrick s'arrêter net et revenir sur ses pas. Mais elle l'a clairement entendu s'excuser, du bout des lèvres, pendant qu'il me serrait dans ses bras.

Savoir qu'on a fait le bon choix n'empêche pas d'avoir le cœur à l'envers. Chacune est rentrée chez soi. Julienne m'a fait un vague signe de la main au moment de refermer sa porte, tandis que je lui adressais un sourire triste avant de disparaître derrière la mienne. C'était la première fois que les mots nous manquaient. Nous étions toutes les deux dans nos petits souliers.

En rentrant, j'ai déposé les clefs et les papiers sur ma table. Puis j'ai longuement hésité avant de me décider à enfiler ma tenue de jogging. J'avais besoin de courir. Pour me libérer l'esprit. Pour faire « sortir le méchant ». Et parce que Patrick n'était pas le seul à devoir tirer des leçons de cette triste affaire. Ma première expérience de microcrédit venait de m'apprendre à quel point il est important de maintenir une certaine distance entre soi et ceux qu'on accepte de parrainer. Sur ce, j'ai téléphoné à Momo.

— Tu cherches une place dans le bus de quelle heure ?

— Tu cherches encore un boulot ?

— Sans perdre espoir.

— Tu sais conduire une moto ?

— J'étais livreur de brochettes dans une autre vie.

— J'ai peut-être quelque chose pour toi.

Je lui ai résumé les faits et proposé de le rencontrer le lendemain midi.

Après lui avoir raconté mon histoire de moto et m'être assurée qu'il était bien au fait de la situation, je lui ai fait ma proposition. Momo me regardait avec des yeux ronds. Il s'est longtemps gratté la tête avant de lever la main pour demander la parole.

— C'est trop beau pour être vrai.

— Mais ça l'est.

Je lui ai tendu un brouillon d'entente, la copie conforme de mon contrat de vente avec Patrick. Momo a plongé le nez dedans pour bien le lire. Il s'est attardé un petit moment sur le paragraphe « rôles et responsabilités du propriétaire et du locataire ».

— Ma proposition est simple et facilement réalisable pour quiconque a le cœur à l'ouvrage.

— Le cœur à l'ouvrage ?

Momo avait le commerce dans le sang. Son parcours de vie était le reflet de sa débrouillardise. Armée de terre, services de sécurité, travailleur en construction, livreur de brochettes...

— J'ai discuté de l'affaire avec un vieil oncle qui est chauffeur de mototaxi depuis la nuit des temps. Il m'a déjà donné quelques bons conseils.

— Par exemple ?

— Il m'a expliqué la répartition des routes, les délimitations des zones et les politiques de tarification. Il m'a aussi beaucoup parlé du service à la clientèle et refilé le nom de quelques bons garages de réparation.

— C'est précieux, ça.

Momo regardait le projet d'entente sur la table devant lui. Au bout d'un moment, il s'est redressé sur sa chaise et m'a regardée droit dans les yeux.

— J'accepte ton offre, Héréna. Merci.

— Ah ! Que je suis contente !

— Et tu ne le regretteras pas, promis.

Nous nous sommes serré la main. Nous avions tous les deux les yeux pleins d'eau.

Shaban m'attendait sur le balcon de son bureau de directeur. À l'intérieur, il avait étalé sur la table de réunion la dizaine de pages de son plan d'affaires. Son projet était très concret et très clair. Tout sauf un rêve de grandeur.

— Tu as récupéré la moto de Patrick ?

— Douloureusement, mais...

— Tu veux que je l'entrepose dans l'atelier ?

— Pas besoin, je viens de la refiler à Momo. Il semble plus sérieux.

— À Momo ?

— À Momo.

— Tu ne perds pas de temps, toi...

— Parle-moi de ton projet.

Shaban a commencé par faire le point sur nos finances. En dehors du remboursement de mon investissement initial, notre objectif d'équilibrer nos recettes et nos dépenses la première année était en passe de se réaliser. Je scannais ses colonnes Excel d'un œil en l'écoutant. Les affaires tournaient rondement. Les demandes d'inscriptions pour l'année à venir étaient supérieures à notre capacité d'accueil. Je m'attendais à ce que Shaban propose de construire de nouveaux dortoirs et de nouvelles salles de classe pour accueillir plus d'élèves. J'étais totalement à côté de la plaque.

— Une deuxième école de métiers ?

— Non, une deuxième filière de couture, pour femmes où, en plus de leur apprendre à coudre et à filer, on va leur enseigner à gérer un budget, à négocier avec les fournisseurs et à interagir avec les clients.

Plus j'écoutais Shaban, plus je pensais à Maman Nicole. Plus j'écoutais Shaban, plus j'adhérais à sa philosophie de l'éducation et à ses valeurs. Hôtellerie, couture, l'objectif restait le même : donner les outils nécessaires pour favoriser l'autonomie.

— Et tu vois ça comment ?

— C'est clair.

Il a sorti un plan d'architecte à moitié déchiré de son tiroir. J'y ai jeté un œil pendant qu'il souriait comme un bouddha. En

bleu, l'ébauche d'une salle de classe équipée de bains de tein-
ture. En vert, le dessin d'un énorme dortoir avec un « espace
tampon » pour les toilettes et la salle d'eau. Je reconnaissais
ce plan. Shaban savait très bien qu'il allait réveiller quelque
chose en moi.

— Les fondations sont déjà coulées !

— Je sais. Je m'en souviens même très bien. J'étais-là avec
toi.

— Elles doivent être solides dans ce cas-là, n'est-ce pas ?

— Absolument.

Je l'ai longtemps regardé dans les yeux avant d'éclater de
rire. Il était tellement en avance sur moi. J'ai examiné son plan
à nouveau afin de m'assurer de n'avoir rien manqué.

J'ai invité Shaban à manger une brochette près de la gare pour
le remercier. La nuit tombait vite. Le phare de sa moto per-
çait à peine la noirceur. Le patron nous a accueillis à bras
ouverts. Son mini-resto était curieusement vide. Il nous a installés à l'une des petites tables en terrasse, en bon adepte de
la théorie selon laquelle « le monde attire le monde ». Il est
revenu sans tarder avec les menus et deux grosses bouteilles de
bière.

— Tu m'as l'air bien heureuse, Héréna.

— Je confirme.

Shaban a levé son verre pour trinquer à l'instant même où
un scooter passait en pétaradant pour étouffer ses mots. Nous
nous sommes regardés en souriant comme des enfants.

Un groupe de quatre personnes s'est installé à la table d'à
côté. Les affaires reprenaient. Le patron avait retrouvé son
sourire. J'en ai profité pour lui faire signe que nous étions prêts
à commander. J'ai attendu qu'il s'éloigne de la table avant de
poser ma main sur celle de Shaban.

— J'aime beaucoup ton projet d'agrandissement.

— Ça tombe bien, j'ai apporté mon plan d'affaires.

Le mois d'avril au Rwanda est toujours long et houleux depuis le génocide. Le souvenir des massacres obscurcit le ciel et un climat de psychose s'installe dans le pays. Le peuple au complet est sur le qui-vive. Mon téléphone s'est mis à vibrer dans ma poche au moment où le bus se mettait en branle.

— Manu!

— Héréna!

Long silence. Autant Emmanuel pouvait se montrer loquace de vive voix, autant c'était une carpe au téléphone. Et je n'arrivais toujours pas à déterminer s'il s'agissait d'un trait de caractère ou si c'était lié à l'adolescence.

— On mange ensemble ce soir?

— Ah oui! J'ai faim.

Rien de tel que l'appétit d'un garçon de 16 ans pour prendre le pouls de ses états d'âme. Il mange avec appétit, il va bien. Il picore dans son assiette, attention! Je lui ai dit qu'il me manquait et que j'avais hâte de le revoir. Cela faisait près d'un mois.

— Mais on se parle quasi tous les jours!

— Non, *je* te parle presque tous les jours.

Rien de tel qu'un garçon de 16 ans pour déstabiliser quelqu'un qui n'a jamais eu d'enfant. Shaban me trouvait mère poule. Emmanuel avait beau chercher à me rassurer en disant que le directeur de l'hôtel où il était en stage n'arrêtait pas de chanter ses louanges, il avait l'humeur vagabonde et l'équilibre fragile. Ce n'est pas moi qui le pensais, c'est lui qui me l'avait dit. Peut-être pas dans ces mots, mais c'était clair.

— On se rejoint chez Julienne?

— À tout à l'heure.

Julienne était excitée comme une puce. Tout le monde avait répondu présent à son appel. Rien ne vaut un petit souper improvisé pour motiver les troupes. Emmanuel s'est levé d'un coup pour venir m'accueillir. Vanessa affichait une assurance nouvelle. Willy était visiblement heureux de retrouver son ami Emmanuel. Patrick voulait profiter de l'occasion pour nous présenter Rachelle, sa nouvelle amie. Le moment était précieux. Ils étaient beaux à voir. Nous avons englouti les brochettes de poisson et de chèvre. Les conversations allaient bon train. Elles se sont poursuivies en petits groupes jusqu'à ce que ces derniers se dispersent dans la nuit.

Jusqu'à ce que je me retrouve enfin seule avec Manu.

— Tu n'as pas mangé ton riz ?

— Ça va.

La lune et les étoiles éclairaient le jardin. L'air était bon. Il y avait longtemps que nous avions passé un moment juste tous les deux.

— Ça va ?

— J'ai besoin de te parler.

J'ai résisté au vertige de m'imaginer le pire. Emmanuel était heureux comme tout depuis qu'il était diplômé, et ses rapports de stage étaient excellents. De plus, sa voix était toujours bonne au téléphone et il avait l'air en pleine forme. Je me suis penchée vers lui.

— Je t'écoute.

— J'ai envie de retourner aux études.

J'en suis presque tombée de ma chaise. Je m'attendais à tout, sauf à ça. Sous la lumière de la lune, je l'écoutais me dire à quel point il se sentait aimé et bien dans sa peau. Son langage corporel confirmait ses dires tout comme l'expression sereine de son visage. Il s'estimait réellement chanceux de m'avoir dans sa vie. Le domaine de l'hôtellerie l'intéressait toujours, mais il voulait profiter du fait qu'il avait le vent dans les voiles pour la première fois de sa vie pour...

— Obtenir ton diplôme secondaire ?

— Pour être admissible à l'université.

— À l'université ?

— C'est mon dernier rêve.

— Tu as ton plan d'attaque ?

— Je vais commencer par finir mon stage et travailler un peu. La prochaine rentrée n'est que dans huit mois. Ça me laisse le temps de m'organiser.

— Si tu t'engages à aller jusqu'au bout, je m'engage à t'aider.

Nous avons continué à parler de tout et de rien jusqu'à tomber de fatigue. Emmanuel est venu se réfugier dans mes bras pendant de longues secondes avant d'aller se coucher. Je suis restée seule dehors encore quelques minutes, pour regarder les étoiles et réfléchir au sens de la vie... avant de trouver le courage de me traîner jusqu'à mon lit. Moi qui n'avais jamais vraiment voulu avoir d'enfants et qui n'avais jamais vraiment eu la chance d'en avoir, je me suis endormie pour la première fois de ma vie avec le sentiment d'avoir un cœur de mère.

Les jours se succédaient. Les choses se bousculaient. Emmanuel rêvait de poursuivre des études universitaires, Shaban peaufinait les détails de son projet d'agrandissement, Momo enfourchait sa moto tous les matins, et l'amour donnait des ailes à Patrick. Je pensais à toutes ces belles forces en mouvement tandis que je marchais dans la rue avec mon vieil ordi sous le bras. J'étais en livraison. J'avais rendez-vous avec le fils du sergent-major de l'armée rwandaise qui avait acheté mon vieux PC via Internet. Dydine avait proposé que nous nous rencontrions devant une petite buvette populaire située aux abords du marché de Kimironko.

Il m'attendait dans la rue. Il n'avait pas eu trop de mal à me reconnaître, m'a-t-il dit en m'abordant avec un large sourire. Je lui ai donné l'ordi. Il m'a invitée à boire un café pour me remercier.

— Sur ordre de mon père.

— Autant obéir, dans ce cas.

Dydine était assez grand, et mince comme un fil. Il avait l'esprit vif et fière allure. Il parlait couramment anglais et français. Il était craquant comme tout.

Pendant que nous attendions le serveur, il m'a raconté qu'il étudiait en pharmacie. Ensuite, il m'a parlé de son père militaire de carrière, de sa mère enseignante et de ses deux petits frères. Il avait une facilité de parole incroyable. Il bouillonnait d'idées et de projets. Il travaillait en même temps qu'il étudiait afin de contribuer au budget familial. Parce que c'était important. Parce que ses petits frères aussi devaient pouvoir étudier.

Des gens de tous âges s'arrêtaient à notre table pour lui serrer la main ou lui demander des nouvelles de ses parents. Il s'arrêtait au milieu d'une phrase pour leur parler avant de revenir à notre conversation, sans jamais en perdre le fil. Il me posait de bonnes questions. Il se montrait curieux de mes choix de vie. Il s'interrogeait sur mes motivations. Il s'intéressait à mes projets. Un peu plus, et il me refilait une ordonnance. Il allait faire un sacré pharmacien.

Nous avons passé tout l'après-midi ensemble, incapables de couper court à notre conversation. Nous étions au beau milieu de la rue et sur le point de nous serrer la main quand il a commencé à me parler de son idée d'ouvrir un café de jeux vidéo où l'on paierait à la minute comme dans les cafés internet. Je lui ai raconté mes premiers pas dans l'univers du microcrédit avant de lui demander conseil.

— Tu connais quelqu'un qui pourrait m'aider à créer un site Web ?

— À n'en pas douter.

— Il est fiable ?

Il m'a dévisagé comme si je portais atteinte à son honneur.

— C'est un ami de la famille. Il étudie à la même université que moi. Il fait des sites Web à temps perdu pour s'amuser. Il est vraiment très fort.

— Tu pourrais me le présenter ?

Il a pianoté sur les touches de son téléphone et l'a remis dans sa poche. Le mien s'est mis à vibrer.

— Vous êtes en contact.

— Simple et efficace.

Nous nous sommes promis de nous revoir dans un proche avenir pour parler plus en détail de nos projets, puis nous nous sommes quittés, sourire aux lèvres. Dydine n'avait pas fait cinq pas qu'il rebroussait déjà chemin en s'excusant.

— Et merci aussi pour l'ordi.

— L'ordi ?

L'écho de nos rires a résonné fort dans le silence de la nuit tombante. Fort dans la nuit et longtemps dans ma tête. Si la vie est le fruit de nos rencontres et des relations tissées entre nous et le monde, elle venait de m'offrir un sacré cadeau.

J'ai écrit un SMS au copain de Dydine le lendemain matin, mais il était déjà au courant de tout et plus encore. Je ne sais pas ce que Dydine lui avait raconté entre-temps, mais François me semblait on ne peut plus enthousiaste. Il m'a demandé de l'appeler pour que nous nous parlions de vive voix et que je lui précise mes besoins. Il m'a ensuite expliqué toutes les étapes de la réalisation et parlé de systèmes, de plateformes et de gestion de contenu. Je lui ai répondu que j'avais déjà une bonne idée de mon contenu et que la première mission du site était d'officialiser la création de ma microentreprise, d'expliquer la philosophie de ma démarche et de préciser sans détour les critères de sélection et les conditions de prêt.

— Séparer le bon grain de l'ivraie.

— Hein ?

— Distinguer le bien du mal.

Il m'a donné des devoirs à faire. Déterminer l'organisation du contenu, le nombre de sections, rédiger ma bio, écrire les textes à inclure, trouver des titres accrocheurs, mettre les bons mots sur les bonnes idées, sélectionner des photos, etc. J'ai passé près d'une semaine à travailler mon contenu pendant que François s'affairait sur le contenant, sous l'œil vigilant de son ami Dydine.

Pendant que je me concentrais sur la rédaction de mes textes, Julienne faisait de son mieux pour que les enfants du quartier ne passent pas leurs journées à m'espionner par la fenêtre. Ils ne faisaient rien de mal. Ils restaient là sans faire de bruit, à m'observer pendant des heures. Je n'avais qu'à étirer le cou pour apercevoir le haut de leur tête ronde. Mais le simple fait de les sentir dans mon dos tandis que je travaillais finissait par devenir agaçant.

J'ai passé la matinée du vendredi pendue à mon téléphone avec Shaban, Manu et Momo. Parce que je me sentais coupable de garder le silence pendant que je me consacrais au contenu de mon site Web, mais surtout parce que je voulais prendre de leurs nouvelles. Julienne était en train de plier du linge quand je suis sortie de chez moi. Elle avait passé la matinée au Centre César. À l'écouter, les mamans devaient encore se serrer la ceinture. J'ai cherché à la rassurer en lui rappelant la grande résilience de Maman Nicole.

— Tu connais la chanson, Julienne.

— C'est toujours la même, Héréna.

Coup de klaxon. Mon taxi m'appelait. J'ai embrassé Julienne sur les deux joues et attrapé mon bon vieux sac à dos.

Je me suis laissé conduire vers la ville en pensant d'abord à Nicole et au Centre César, et puis à mes textes. Pour une personne de chiffres, je ne m'étais pas trop mal débrouillée. D'autant plus que mes textes étaient à la fois en anglais et en français : il était important pour moi d'avoir un site entièrement bilingue.

Le taxi roulait tranquillement. À la radio, une musique en flux continu produisait des sons de basse à s'en arracher les cheveux. Nous sommes arrivés à l'hôtel au moment même où j'atteignais le point de saturation. J'ai lancé trois billets sur le siège du passager avant de descendre du taxi sans dire un mot.

J'ai traversé la rue en vitesse pour aller m'acheter le journal. Comme le vendeur s'occupait déjà de plusieurs clients et qu'il n'y avait pas vraiment de voie express, j'ai profité de ce petit contretemps pour aller m'asseoir sur un banc de bois juste à côté, et observer la vie tout autour. Fait plutôt rare, un bus de tourisme se trouvait garé devant l'hôtel. Je me suis retournée pour faire dos à la rue et regarder le paysage urbain qui se déployait devant moi. Le kiosque était situé sur le trottoir d'un belvédère naturel offrant une vue panoramique. Je suis restée assise pendant de longues minutes avant de me lever pour aller acheter le *New Times*. Quand je suis entrée à l'hôtel, le lobby débordait de valises et d'hommes vêtus tout de noir. On aurait dit une congrégation religieuse ou je ne sais quoi. Par chance, la patronne m'a repérée et elle m'a vite remis la clef de ma chambre.

Mon téléphone s'est mis à vibrer dans l'escalier. Numéro inconnu. Je ne réponds jamais aux appels inconnus. En revanche, j'écoute tous les messages sur mon répondeur. Mme Clare. Retour d'appel automatique. Salutations cordiales. Se revoir pour parler. Entretien d'embauche? Apprendre à mieux se connaître. Ça vous intéresse toujours?

Oui. J'arrive.

L'objectif de la rencontre était bien simple: remettre les choses en ordre et à l'endroit. Je m'étais présentée la première fois sans rendez-vous ni respect du décorum. J'avais fait fi des règles et des conventions. Mme Clare désirait maintenant se faire une meilleure idée du personnage. Nous avons passé deux heures à discuter.

J'ai joué cartes sur table. Je me croyais trop qualifiée. Je lui ai répété mon envie de mettre la main à la pâte, sans aller jusqu'à lui sortir le slogan que j'avais trouvé pour mon site internet: « Aider un peuple, à construire son pays. »

Mon avenir au sein du RDB restait toujours aussi incertain quand je suis sortie de son bureau pour la deuxième fois, mais je marchais la tête haute et l'esprit en paix en retournant vers l'hôtel. Parce que ce deuxième rendez-vous avait donné l'occasion à Mme Clare de mesurer mes compétences.

Lorsque je suis arrivée à la maison, Julienne m'a proposé d'aller faire un tour au Boui-boui. Elle était de belle humeur : Maman Nicole avait trouvé un moyen de renverser la vapeur. Toute l'agitation dont elle m'avait parlé n'était finalement qu'une tempête dans un verre d'eau. L'avenir s'annonçait tout rose. Je nous ai commandé deux bières le temps qu'elle me résume les derniers évènements. Et un immense sourire a illuminé son visage quand je lui ai raconté mon deuxième « rendez-vous sans rendez-vous » au RDB.

— Pour vrai ?

— Pour vrai.

Julienne m'a serrée dans ses bras pendant un long moment. L'idée de me voir quitter le Rwanda lui poinçonnait le cœur, mais l'espoir que j'y reste l'émouvait.

— C'est plutôt encourageant, non ?

— Plutôt, oui.

Le lendemain matin, je suis allée faire un tour au Centre César. Pour saluer les mamans et dire au revoir à Maman Nicole avant de partir à Montréal pour l'été, mais elle n'était pas là. Elle était partie en ville récupérer de la nourriture et des médicaments, et personne ne savait à quelle heure elle devait revenir. Comme il y avait un petit moment que je n'étais pas venue au Centre, j'ai fait un brin de jasette avec des mamans. En repensant à tout ce que j'avais vécu ici, une grande émotion s'est emparée de moi. Parce que c'est ici que tout avait vraiment commencé. Avec ces femmes hantées par des histoires de souffrances inimaginables, mais souvent joyeuses comme des enfants.

Je suis retournée à la maison afin de ranger mes affaires et de préparer ma valise. Mon vol n'était que dans trois jours, mais je tenais à aller voir Shaban avant de repartir. J'étais dans le bus en direction de Kayonza quand mon cellulaire s'est mis à vibrer dans ma poche. Coincée dans la foule entassée, je n'ai pas réussi à décrocher à temps. C'était un « numéro inconnu ».

Dès que j'ai pu, je me suis empressée d'écouter le message qu'on m'avait laissé. Un message que j'avais tant espéré.

À partir de là, tout s'est mis à aller très vite. Nouvelle rencontre avec Mme Clare, définition du mandat, signature d'un contrat de deux ans avec le RDB, vacances d'été à Montréal qui se transforment soudain en voyage de déménagement, démarches administratives, vertiges et explosions de joie...

Je restais au Rwanda.

Montréal

Juillet 2011

RETOUR VERS LE FUTUR

Je saute d'une jambe à l'autre au feu rouge au coin des rues Sherbrooke et Saint-Denis. À la radio, l'animatrice se moque des coûts exorbitants de la visite royale de Kate et William au Canada, et du pont Champlain qui risque encore de s'écrouler. En l'écoutant, je mesure le décalage entre mon ancienne vie et la nouvelle. Ici, les infrastructures s'effritent. Là-bas, tout est à bâtir. C'est pour ça que j'ai accepté l'offre du gouvernement rwandais.

Le feu passe au vert, je me remets à trottiner vers le parc Lafontaine. Le temps est lourd et humide – un vrai été mont-réalais –, mais j'arrive à tenir ma cadence sans trop forcer. Une fois dans le parc, je passe à la vitesse supérieure.

Je contourne le théâtre de Verdure, le lac, la statue de Félix Leclerc et les terrains de pétanque et de baseball. Je fais deux grands tours du parc, puis je remonte la rue Sherbrooke vers l'ouest. Devant mon immeuble, je reste penchée de longues minutes à réfléchir, les mains sur les genoux. Je suis de passage à Montréal pour officialiser mon déménagement au Rwanda et louer mon condo pour la durée de mon contrat au RDB. J'ai 41 ans. Ça ne se voit peut-être pas de l'extérieur, mais j'ai beaucoup changé au cours des deux années qui viennent de s'écouler.

Je pianote le code de la porte d'entrée principale et je salue le gardien de sécurité.

Dans le couloir qui mène à mon appartement, je me rassure
en me disant que ce n'est pas parce que l'offre du gouvernement rwandais est (presque) trop belle pour être vraie que je
dois (obligatoirement) redevenir un bourreau de travail. Non.
Les dernières années m'ont appris à envisager la vie autrement. Je ne veux pas non plus me mentir. Je reste qui je suis.
Quelqu'un qui ne sait pas compter ses heures et qui ne fait
rien à moitié. À moi de ne pas retomber dans les pièges qui
m'ont poussée à changer de vie, il y a trois ans. Quand j'étais
au top sur le plan professionnel, mais en perte de sens sur le
plan humain.

Je retire mes écouteurs en rentrant dans mon condo. Encore
une fois, je suis frappée par le silence. Vivre au Rwanda a
changé ma conception du calme et de l'intimité. Désormais,
c'est l'absence de bruit et d'éclats de rire qui m'agresse, plus
que les tumultes de la rue et les cris des voisins. D'où mon hésitation : devrais-je me louer une grande maison dans le quartier
des ambassades à Kigali, comme le font la plupart des expats,
ou bien continuer à vivre à Kimironko, dans l'annexe de la
petite maison de Julienne, devenue en fait ma deuxième mère ?
Mais je n'hésite pas longtemps : pourquoi aller vivre en Afrique
si c'est pour me barricader dans une villa grillagée surveillée
par des gardiens de sécurité ? Surtout quand je peux partager
un toit avec une famille pour qui mon loyer est une source de
revenus importante ?

Je me sers un grand verre d'eau, puis je file sous la douche. Le
temps de me sécher, je mets ma cafetière à expresso sur le feu
et allume mon ordi. Deux clics plus tard, je surfe sur le site du
New Times. Aujourd'hui, 4 juillet 2011, la première page de
« mon » journal rwandais célèbre les dix-sept ans de la prise de
Kigali par les forces du Front patriotique rwandais (FPR). Jour
pour jour, il y a dix-sept ans, le 4 juillet 1994, on annonçait la
fin du génocide. Je surfe d'une page à l'autre avant de tomber
sur un article qui raconte le destin tragique d'un certain Albert

Nsengimana : « Ma mère a fait assassiner mon père et mes huit frères. » Je clique sur le lien et une nouvelle fenêtre apparaît avec une photo du jeune homme. La première chose que je remarque est son regard trouble. Je passe mes doigts dans mes cheveux encore mouillés. Le silence qui m'entoure me semble toujours aussi froid. Le sifflement de la cafetière me fait sursauter et me rassure à la fois. Je me sers un café. Je commence à lire. Et je découvre alors l'une des histoires les plus horrifiantes qu'il m'ait été donné de découvrir, mais que je *devais* découvrir, pour plusieurs raisons[2].

La mère de ce jeune homme aujourd'hui âgé de 24 ans était impliquée dans les meurtres de son père et de ses frères. Cela ne pouvait être qu'une seule chose à ses yeux : un cauchemar. Mais c'était malheureusement vrai.

Albert avait sept ans à l'époque. Il était le septième d'une famille de neuf garçons. Son père était tutsi et sa mère hutue, mais les notions de race ou d'ethnie lui échappaient totalement. Il était au champ à s'occuper des chèvres avec ses deux petits frères lorsque les miliciens ont attaqué le village. Paniqués, quatre de ses grands frères sont allés se réfugier chez la grand-mère maternelle. Il n'y avait personne à la maison quand Albert est revenu au village avec les petits. La nuit était presque tombée. La maison était vide. Il n'avait aucune idée de l'endroit où se trouvaient les autres membres de sa famille. Ses petits frères et lui se sont donc cachés tous les trois dans la maison, et ils y sont restés jusqu'au petit matin. Vers midi, comme personne n'était venu les chercher, Albert a décidé d'emmener ses frères chez leur grand-père paternel... Les

---

2. L'histoire d'Albert, que je découvrais en 2011 dans cet article, j'en ai appris les détails au fil des années qui ont suivi. Il l'a racontée dans le livre auquel j'ai collaboré, *Ma mère m'a tué. Survivre au génocide des Tutsis au Rwanda*, paru en 2019 aux Éditions Hugo Doc.

garçons ont retrouvé ce dernier en larmes, assis par terre, la tête entre les mains, devant sa maison saccagée. Lorsqu'il a vu les enfants, il leur a enjoint d'aller se cacher au plus vite. Puis, comme leur père était tutsi, il les a avertis que les miliciens allaient les pourchasser pour les tuer...

Ne sachant que faire ni où aller, Albert a pris son plus petit frère sur son dos et attrapé l'autre par la main, et ils ont marché jusqu'à la maison de leur grand-mère maternelle. Le trajet faisait à peine deux kilomètres, mais il y avait déjà beaucoup de cadavres sur le chemin. Les petits posaient toutes sortes de questions à leur grand frère, auxquelles il n'avait évidemment pas de réponse.

Lorsqu'Albert a aperçu ses quatre grands frères devant la maison de sa grand-mère, son cœur a d'abord bondi de joie. Puis, en s'approchant, Albert s'est rendu compte qu'ils pleuraient tous à gros bouillons. Il a alors appris que l'inimaginable avait eu lieu : leur mère avait refusé de les protéger parce que sa famille était hutue et eux, tutsis.

Abandonnés à leur sort, les frères se sont assis sous un grand arbre et sont restés là, serrés les uns contre les autres, jusqu'à ce que le plus vieux d'entre eux propose d'aller chercher refuge chez le parrain de leur père, un Hutu. Il habitait loin de chez la grand-mère et ils ont dû marcher longtemps, à travers des bananeraies et au milieu des buissons, avant d'arriver chez lui. En les découvrant devant sa porte, l'homme a d'abord hésité, puis il a accepté de les cacher dans son enclos à bétail, à la condition qu'ils partent dès le lendemain matin, ce qu'ils ont fait avec peur et tristesse.

L'un des frères a alors proposé de retourner à la maison de la grand-mère pour aller dire adieu à leurs petits frères et à leur mère, mais celle-ci a refusé de leur parler. Seule la grand-mère a daigné leur dire quelques mots : « Que Dieu vous accueille. »

Le cœur gros, ils se sont remis en marche en direction de leur maison, se cachant derrière les arbres et les buissons afin d'échapper aux tueurs fous. En les voyant s'approcher de chez eux, des voisins sur le qui-vive ont immédiatement prévenu les miliciens. Les frères ont eu beau décamper et aller se réfugier dans une école primaire, les miliciens les ont trouvés. Surgissant avec des chiens, ils ont réussi à attraper quatre d'entre eux, mais pas Albert. De sa cachette, il voyait tout. Les *Interahamwe* ont regroupé ses frères devant la porte du bureau du directeur, puis ils les ont tués, l'un après l'autre, à coups de matraque et de machette, avant de jeter leur corps dans les latrines.

Albert est resté caché longtemps, terrorisé, en état de choc, affamé et assoiffé. Seul. Il a fini par se rendre chez sa grand-mère, espérant voir ses petits frères. Là, il est tombé sur sa cousine, qui lui a dit ces mots terribles : « Ta maman les a livrés aux bourreaux pour les faire tuer. »

Incrédule, il s'est laissé choir dans l'herbe. Sur ces entrefaites, sa mère est rentrée. Albert était convaincu qu'elle l'emmenait dans une cachette pour le protéger. Il était le seul enfant qu'il lui restait. Sa mère, sa cousine et lui ont marché en silence, main dans la main, tous les trois dans la rue. Ils ont traversé le quartier en silence, sous les injures. C'est alors qu'Albert a compris que sa mère était en train de le conduire aux bourreaux pour qu'ils le tuent...

L'homme qui devait lui enlever la vie était un proche cousin de sa mère, le chef de la brigade *interahamwe* locale, celui-là même qui avait tué ses petits frères. Mais, ce dernier s'apprêtait à faire une pause au moment où ils arrivaient. En fait, il s'en allait boire de la bière de bananes avec ses complices, quand une bagarre a éclaté au sein du groupe, bagarre au cours de laquelle une lance l'a transpercé. Dans la confusion, obéissant à un élan d'amour inconditionnel, Albert a décidé d'en avertir sa mère au lieu de s'enfuir. En voyant le cadavre de son cousin, la mère s'est mise à pleurer à chaudes larmes. Mais elle s'est vite ressaisie, ordonnant à la cousine qui les accompagnait d'emmener Albert à un autre groupe de tueurs, à l'autre bout du village.

En route, le petit n'a pas cessé de supplier sa cousine de le laisser partir. « Je suis comme toi. Je ne veux pas mourir. Personne ne veut mourir. Tu es comme une sœur pour moi. Je t'en prie. Pardonne-moi. Par pitié, laisse-moi vivre... » Elle a finalement accepté, mais à une condition : qu'il ne revienne jamais. Il l'a juré sur la tête de ses petits frères et s'est mis à courir.

Albert a passé trois mois à fuir et à se cacher. D'abord dans une église, puis dans une plantation de bananes, où il pouvait au moins manger des fruits et boire l'eau qui s'accumulait sur les feuilles. À quelques reprises, il a été tenté de s'approcher de la maison de sa grand-mère pour observer sa mère. Mais il n'a pas cédé à cette terrible envie. Il est resté caché dans la nature jusqu'à ce que la région soit libérée.

Quant à la mère d'Albert, elle a été arrêtée peu après et condamnée à une peine de huit ans de détention pour avoir participé au génocide. Albert est allé à plusieurs reprises la voir en prison. Il a même trouvé la force de lui pardonner avant qu'elle meure de causes naturelles en 2006.

Oui, Albert a pardonné à sa maman, tout comme il a pardonné aux autres membres de sa famille et à ses voisins d'avoir tué ses frères et son père. Parce qu'il refusait d'être pris en otage par le passé. Il lui fallait éviter de tomber dans le piège de la vengeance. Il était hors de question d'oublier ce qui s'était passé, mais il fallait trouver le moyen de pardonner, et avoir l'audace de continuer à vivre.

Le courage et l'audace de continuer à vivre. L'une des premières qualités du peuple rwandais à m'avoir frappée quand je suis arrivée dans ce pays est son sens de la reconnaissance et de la gratitude. Et c'est pourquoi je veux tant aider les Rwandais.

Contrairement à ce que certains peuvent penser, et quoi qu'on ait raconté sur moi dans certains médias québécois, je ne joue pas à la Mère Teresa au Rwanda. Oui, j'adore aider et

donner à mon prochain, mais je crois au mérite et à la dignité.
Au courage aussi, à l'audace et à la persévérance. Alors, je
m'efforce d'aider surtout ceux qui veulent s'aider.

Ce jour-là, dans le condo d'où je me prépare à partir vivre au
Rwanda, je décide d'écrire à ce jeune homme que je ne connais
pas encore, mais dont je viens de découvrir l'histoire horrible.
Trouver les bons mots est toujours un défi pour quelqu'un
qui a plus de facilité avec les chiffres. Je tourne donc en rond
dans mon appart pendant un long moment. À la fin de l'article,
il est dit qu'Albert est en train de terminer un scénario de film
inspiré de l'histoire de sa famille et que toute aide ou contribution à sa réalisation seraient fort appréciées.
Sans réfléchir un instant de plus, je m'installe à mon ordi.

Hello Albert,
Je viens de lire ton histoire dans le New Times et je suis
vraiment fière de toi. Regarde mon site Web, mentoring-
africa.org, et parlons-nous à mon retour au Rwanda dans
un mois (je suis actuellement au Canada) pour voir si nous
pouvons faire quelque chose ensemble.
Ton courage est incroyable...
Sincèrement,
Hélène Cyr

Je relis mon message et clique sur « envoyer ».
Je quitte l'ordinateur pour aller me changer les idées. Mais
l'histoire d'Albert me trotte dans la tête toute la journée.
Et le lendemain, je reçois ce message :

Chère Hélène,
Merci d'avoir pris le temps de lire l'article et de consi-
dérer offrir toute forme de soutien à ta portée. Je suis le
journaliste qui a écrit l'histoire, et non Albert. Cela dit, en
plus d'être ma source d'écriture, Albert est un ami. J'ai fait

l'article en partie pour l'aider à trouver quelqu'un pour
réaliser son rêve, et ta réponse arrive pour atteindre son
rêve.
Je serai heureux de vous mettre en contact, Albert et toi,
lors de ton retour.
N'hésite pas de me revenir au besoin.
Sincèrement,

Bosco R. Asiimwe, The New Times

Génial ! Je me redresse d'un coup sur ma chaise. Les astres
semblent bien alignés.

Ma mère se moque de moi chaque fois que je lui parle d'un de
mes nouveaux projets.
— Mais où vas-tu donc chercher ces idées-là ?
— *I don't know.*
Je ne sais pas. C'est ce que je lui réponds chaque fois. Peut-
être que ces idées-là me viennent du plaisir que me procurent
l'entraide et la solidarité, par comparaison avec les chiffres
et les grilles d'analyse avec lesquels je jonglais dans mon
ancienne vie pour augmenter les marges de profit et enrichir
les actionnaires.
Je vais sur mon tout nouveau site Web et clique sur l'onglet
Fondatrice :

Originaire du Canada, Hélène Cyr a grandi à Montréal.
Elle est ingénieure industrielle de formation et possède une
maîtrise en administration des affaires. Au fil de sa carrière,
elle a travaillé comme cadre supérieur pour de nombreuses
organisations multinationales (McKinsey & Company, Egon
Zehnder International, Bombardier, CAE et la Croix-Rouge)
en Amérique, en Europe, en Asie et en Afrique. Aujourd'hui,
à titre d'investisseuse privée et de promotrice de l'entrepre-
neuriat humanitaire, elle se consacre au développement
économique et social du Rwanda.

Je referme mon ordinateur portable et pousse un grand soupir en pensant à ce qui m'attend au Rwanda, au cours des mois et des années à venir. À ma nouvelle vie.

KIGALI

Août 2011

DESTINÉES

Albert me contacte dès mon retour au Rwanda. Je lui donne rendez-vous directement au RDB, où je suis conseillère stratégique auprès de la directrice des opérations depuis déjà deux semaines. Il arrive à l'heure, en sueur ; il a monté les cinq étages à pied. Il n'a jamais pris un ascenseur de sa vie. Il est propre et fier. Sa peau est noire comme l'ébène, son corps sculptural et musclé. Il porte un jean et un tee-shirt. Ses souliers sont impeccables. Je lui offre de s'asseoir dans le grand fauteuil au bout de la table en bois massif, et je m'assois en face de lui. Il est presque 18 heures, le bureau est fermé, je le rassure : nous avons tout notre temps.

Il me raconte son histoire et, de minute en minute, j'ai des frissons, le cœur de plus en plus serré. Mais je me retiens. Il parle, j'entends, mais je ne comprends pas. Sa bouche tremble, ses yeux sont dirigés vers moi, mais ne me regardent pas. Cela dit, il reste droit et fier, comme un homme de son pays doit le faire. À 19 heures, il a terminé son récit, son tee-shirt est complètement détrempé, il est épuisé et moi aussi, mais il est également content. Une première partie de son rêve vient de se réaliser. Il a confié son histoire à une *Muzungu* et, donc, au monde extérieur.

Je suis également en sueur, ébranlée, émue, mais déterminée à être aussi forte que lui.

— J'admire, ton courage, ta force et je te remercie de ta confiance. Dis-moi si et comment je peux t'aider, car je n'en ai aucune idée.

Albert me répond simplement et spontanément : le seul fait de l'écouter et d'être son amie lui suffit. Il ne me demande ni argent ni action, juste de la considération.

Je téléphone à Shaban le soir même en rentrant à la maison. Il décroche. Il parle d'une voix basse et inquiète.

— Héréna ?

— Shaban !

Je fonds en larmes au son de sa voix. La tragédie d'Albert me déchire le cœur. J'ai atteint ma capacité d'absorption d'histoires d'horreur. La goutte d'eau qui fait déborder le vase. Finalement, je réussis à tout raconter à Shaban.

— Je veux l'aider.

— On ne peut pas tous les sauver.

— Il n'a rien à manger, Shaban. Pas de toit. Personne.

— C'est un survivant.

— Je veux qu'on l'héberge à l'école.

— À l'école ?

— À quoi ça sert d'avoir des dortoirs, sinon ?

— Les dortoirs sont réservés aux étudiants.

— Dans l'atelier, alors.

Albert a besoin d'un toit et de vivres et je suis propriétaire d'une école d'hôtellerie. Pour moi, la solution est évidente, et non négociable. Peu importent les réticences initiales de Shaban.

Le lendemain, je contacte Albert à la première heure pour lui offrir, en échange de petits travaux d'entretien, un toit et un endroit où prendre le temps dont il a besoin pour se reposer, regagner confiance en lui et réfléchir à ce qu'il aimerait faire. Albert ne demande rien de mieux. Un homme en morceaux se contente de peu. Il accepte sur-le-champ. Il est même prêt à partir tout de suite. Le problème, c'est que je dois travailler ce jour-là et que je ne peux pas l'accompagner. Pas de problème. Albert n'a besoin que d'un peu d'argent pour prendre le bus, de l'adresse de l'école et du numéro de Shaban.

Deux heures plus tard, avec pour seul bien personnel un petit sac à dos d'écolier, Albert quitte le bureau du RDB en direction de la gare. Il tient à me remercier pour une dernière fois avant de partir.

— Tu es la première personne qui me traite comme un humain.

Pour finir, c'est Shaban qui me téléphone en premier. Il a l'air complètement découragé.

— Tu rigoles ou quoi ? Il n'a rien, ton gamin. Pas de matelas. Pas de draps. Pas de serviette. Tu sais très bien que tous les étudiants doivent fournir le matériel nécessaire.

— Shaban, mon ami, mon frère. L'école va lui acheter tout ce qu'il lui faut et tout ce dont il a besoin avec l'argent de la petite caisse, et je vais tout te rembourser de ma poche.

— Mais c'est un garçon de la rue.

— Comme Emmanuel.

— Sauf que tu le connais à peine.

— Comme toi quand je t'ai viré l'argent pour l'école.

— Mais ce n'est pas la même chose.

— C'est exactement la même chose.

— Et tu as confiance en Albert ?

— J'ai confiance en la vie.

ÉPILOGUE

AUJOURD'HUI

Je viens de parler avec Shaban au téléphone. Tout va bien du côté de nos deux écoles au Rwanda. Les travaux de construction et de rénovation du dortoir des filles du deuxième cycle d'enseignement secondaire sont presque terminés, et Shaban et moi nous préparons à célébrer le dixième anniversaire de notre partenariat (gagnant-gagnant).

Dix ans.

Je me souviens du jour de l'inauguration de notre première école comme si c'était hier. À l'époque, elle comptait environ trois cents étudiants, alors que nous en avons presque mille aujourd'hui, répartis entre nos deux établissements. Plus de trois fois le nombre initial en dix ans ! Quand je mesure le chemin parcouru, je me surprends à imaginer l'impact que cela a eu sur la vie des quelque quatre mille jeunes qui sont sortis de nos écoles avec un diplôme au cours de la dernière décennie. Ces quatre mille jeunes hommes et jeunes femmes sont un peu mieux outillés pour faire face à la vie.

Clic !

Je compose le numéro d'Emmanuel. La sonnerie de son téléphone portable résonne en boucle dans mon oreille. Ce n'est jamais bon signe quand Manu est aux abonnés absents. J'appuie sur la touche « rappel » et laisse sonner, encore et encore, toujours dans le vide. Malaise et inquiétude. Manu traverse une mauvaise passe. Je croise les doigts. Non. Du calme.

J'ai foi en lui. Même si, à force de jouer au Ti-Jo connaissant, il se tire continuellement dans le pied et finit toujours par perdre son emploi. Emmanuel revient de loin. Il n'a que 25 ans. Il finira par trouver sa voie et réussir, j'en suis convaincue, il a juste besoin d'encore un peu de temps.

Clic!

À l'opposé, Julienne décroche dès la première sonnerie. Mon amie frétille comme une anguille à l'autre bout du fil. Elle veut tout de suite savoir tous les détails de mon dernier mandat.

— Ça t'a plu, le Sénégal?

— Beaucoup et bien.

— Tant que ça?

— Pas autant que le Rwanda.

Sacrée Julienne. Elle se ferait beaucoup moins de bile si elle saisissait une bonne fois pour toutes à quel point je suis attachée à la terre rouge de ses ancêtres.

— Parle-moi de ta maman, alors.

— Son déménagement arrive à grands pas.

— Quitter sa maison après toutes ces années. Je ne peux même pas m'imaginer comment elle peut faire...

— Ça va aller...

Julienne se fait du mauvais sang pour ma mère depuis qu'elle sait que celle-ci va déménager. Plus que de raison, d'après moi. C'est en grande partie de la projection, sans doute. D'un autre côté, il est vrai que je suis revenue à Montréal dès la fin de mon premier séjour au Sénégal pour donner un coup de main à ma mère et faciliter son changement d'adresse, et de chez-soi. Parce que mes parents ne rajeunissent pas et que le temps file comme l'eau entre les doigts quand on vit entre deux pays. Mais c'est plus fort que moi. J'adore vivre à cheval entre deux continents. Parce que la vie est bien trop courte pour qu'on la vive à un seul endroit.

— Tu as parlé à Vanessa récemment?

— Pourquoi?

— Elle t'a dit qu'elle voulait quitter l'école?

— Elle m'a parlé de vouloir prendre une pause.

— C'est la même chose, non ?

— À 15 ans, peut-être, mais à 20 ans... ?

— Je m'inquiète, Héréna.

— Ne t'inquiète pas, Julienne. Vanessa a le goût de vivre. Et je ne vous abandonnerai jamais. Ni elle ni toi.

Julienne pousse un long soupir, comme si je venais de la débarrasser d'un fardeau trop lourd à porter. Je l'imagine affalée sur le divan du salon, comme chaque fois qu'elle s'installe, prête à parler pendant des heures.

— Julienne ?

— Héréna ?

La connexion téléphonique fonctionne bien pour une fois. Zéro écho, aucune coupure. Je laisse un silence complice s'installer entre nous.

— J'aimerais te parler plus longtemps, mais j'ai un rendez-vous...

— Avec ta classe d'enfants ?

— Avec un groupe d'élèves.

Je l'imagine maintenant en train de hausser les épaules en un geste de dépit, avant de se résigner à raccrocher.

— Willy et Patrick t'embrassent...

— À bientôt.

Clic !

Je regarde l'heure en haut à droite de mon écran : 11 h 02. Le temps presse. Je compose le numéro de Dydine avant de partir, mais je tombe directement dans sa boîte vocale. J'attends le son du bip avant de parler.

— Allô, Dydine, c'est moi, Héléna...

(Dydine est l'un des seuls au Rwanda à ne pas prononcer la lettre *L* comme si c'était un *R*.)

— ... Je viens aux nouvelles pour voir si tout va bien. Le grand jour approche. Tu vas bientôt devenir papa, mon ami. Embrasse Sandrine de ma part. Je pense à vous très fort...

Clic !

D'après Google, l'école est située à une heure huit minutes de chez moi, moitié en bus et moitié en métro. Je profite de la partie souterraine du trajet pour relire les questions des élèves que je m'apprête à rencontrer : « Comment peut-on vivre de l'aide humanitaire ? Comment en es-tu venue à faire ce que tu fais ? Qu'est-ce que tu trouves le plus difficile dans ton travail ? »

J'adore les jeunes. J'admire leur franchise ordinaire. Leurs préoccupations existentielles. Leurs visions confuses de la vie adulte. Benoît, leur enseignant, est un copain d'enfance. Un ancien camarade de classe que je n'avais pas revu depuis trente ans. Fanny, une de ses élèves, est tombée sur un article de journal consacré à Albert. Ou plutôt au témoignage qu'il vient de publier et auquel j'ai participé. Pour l'aider à réaliser son rêve de faire connaître son histoire. Pour éviter que le souvenir du génocide sombre dans l'oubli. Pour dire au monde : « Plus jamais ça ! »

L'article en question revient à la fois sur le destin tragique d'Albert et le hasard à l'origine de notre rencontre.

Je relis les questions des élèves, en me disant quand même qu'il faut éviter d'arriver avec des réponses toutes faites. Qu'il faut leur parler avec mon cœur. Rester fidèle à mon instinct.

Terminus ! Tout le monde descend...

L'autobus attend devant la bouche de métro. Je regarde à travers la porte-fenêtre avant de sortir. Il pleut à boire debout. Je relève le col de ma veste de survêtement avant de sortir en courant. Une rafale me freine dans mon élan. Je salue le chauffeur en montant à bord. Plongé dans la lecture d'un journal étalé à plat sur son volant, ce dernier ne lève même pas la tête. Je m'assois sur le premier banc derrière lui pendant que la nature se déchaîne dehors. Selon les experts qui défilent en boucle à la télé, les lacs et les rivières débordent de leur lit un peu partout à travers la province. On parle de crues historiques et d'inondations désastreuses, mais si peu des changements climatiques.

Je ressors mon cahier dès que l'autobus démarre. « Comment as-tu rencontré Albert ? Comment peut-on éviter des génocides ? » Je note les idées qui me viennent – « passer de la parole aux gestes, oser foncer... » – pendant que le bus zigzague entre les flaques d'eau. J'ai vraiment hâte de les rencontrer.

Benoît m'attend dans le portique de l'entrée principale. Nous nous reconnaissons tout de suite. Il m'explique le déroulement de notre activité pédagogique pendant que nous traversons des couloirs et gravissons des escaliers. Son école se trouve dans un quartier où les conditions de vie tendent à marginaliser de plus en plus les jeunes des alentours. J'ai l'impression qu'il cherche à me prévenir de quelque chose, sans trop savoir quoi ni pourquoi. Je ne lui cache pas mon étonnement. J'ai grandi à seulement quelques kilomètres de là.

Nous arrivons dans sa classe où plusieurs de ses élèves terminent leur lunch en vitesse. L'espace est grand et même lumineux, étant donné la grisaille à l'extérieur. De grandes fenêtres donnent sur ce qui ressemble à une aire de jeux ou un parc. Les pupitres des élèves sont alignés en demi-lune entre un grand tableau blanc et le bureau de Benoît. Il y a des feuilles avec toutes sortes de mots-clefs et de consignes inspirantes affichées sur les murs. Des trophées où s'accumule la poussière trônent sur une grande commode à l'arrière, juste à côté d'un vieux divan.

Le temps de lancer le diaporama de photos du Rwanda que je lui ai apporté, Benoît me présente à l'élève instigatrice du projet. Petite de taille, mais grande de curiosité, Fanny me bombarde de questions jusqu'à ce qu'une cloche sonne à la fois la fin de la récréation et le début de ma présentation de soixante minutes.

Comme chaque fois que je prends la parole devant un groupe, je commence par rappeler que toutes les questions sont intéressantes et qu'il n'y en a pas de mauvaises. Ensuite, j'entre dans le vif du sujet en posant la question qui taraude petits et grands.

— C'est quoi, selon vous, l'aide humanitaire ?

Long silence gêné. Bruits de chaises en bois qui craquent. Clin d'œil complice de Benoît du fond de la classe. Patience. On entendrait une mouche voler. J'examine les élèves devant moi. L'horloge bat les secondes. Mystère et boule de gomme. À première vue, tous les continents du monde sont représentés dans cette classe. Enfin, une main ose se lever. Et puis une autre se déplie vers le ciel juste avant qu'une troisième s'agite du côté des fenêtres. Je donne la parole au premier des trois courageux, et puis à l'autre, et puis à l'autre.

— C'est quelqu'un qui part aider des gens un peu partout dans le monde...

— C'est distribuer de la nourriture dans les pays où ils n'ont rien à manger...

— C'est secourir des victimes de catastrophes naturelles... ?

La glace est brisée. Les premières réponses viennent de détendre l'atmosphère. La conversation peut s'engager. À moi maintenant d'apporter les nuances importantes et les précisions essentielles, pour bien expliquer ce que je fais pour de vrai, dans la vie.

— L'aide humanitaire, c'est aider des humains en situation d'extrême urgence ou de grave danger, dans des cas où il faut intervenir rapidement. Après un tremblement de terre, par exemple. Quand un tsunami frappe, quand une guerre éclate, quand une épidémie fait rage...

Benoît affiche un sourire de bouddha, fier de ses élèves. Assis bien droit sur leur chaise, ces derniers m'écoutent avec le plus grand sérieux. Rien n'échappe à l'œil attentif et curieux d'un préado avide d'aventures et de découvertes.

— L'aide humanitaire est quelque chose d'absolument essentiel. À l'image des pompiers, elle vise à éteindre des feux et à sauver des vies. Son impact est immédiat et ancré dans le présent, alors que ce que je fais, moi, est principalement axé sur l'avenir. C'est ce qu'on appelle... l'aide au développement.

En voyant l'expression sur les visages, je m'empresse d'expliquer les principales différences entre les deux.

— Autrement dit, je ne travaille pas dans l'urgence et les moments de crise, mais à long terme. J'aide à mettre en œuvre des programmes dont le but est d'améliorer le bien-être et d'encourager l'autonomie chez les jeunes dans les pays en développement.

Une main se lève.

— C'est ce que vous faites quand vous êtes au Rwanda ?

— C'est ce que j'ai fait durant les dix ans au Rwanda où j'ai travaillé pour le gouvernement rwandais et plusieurs fondations et organismes internationaux afin de promouvoir l'emploi chez les jeunes, et c'est ce que je continue de faire à travers mes deux écoles là-bas, où l'on aide les jeunes à apprendre un métier dans l'espoir de les aider à trouver un travail et à gagner leur vie...

Nouvelle série de mains qui se lèvent. De questions pertinentes auxquelles je m'efforce de donner des réponses satisfaisantes. Le dossier de « l'aide humanitaire » se boucle sur une note positive.

— C'est ce que j'appelle créer une chaîne d'aide dans laquelle une première personne donne un coup de pouce à une deuxième personne, qui offre ensuite un coup de main à une troisième, qui en épaule après une quatrième, et ainsi de suite...

Je jette un œil à l'horloge suspendue au-dessus de la porte. C'est fou comme le temps passe vite. Je laisse de côté deux questions afin de pouvoir aborder le sujet du génocide.

— Quelqu'un peut me dire ce qu'est un génocide ?

Trois mains levées. Massacre. Haine de l'autre. Extermination. Je scrute les visages autour de moi. J'ai peur de leur faire peur. Je les imagine déjà en train de faire d'affreux cauchemars dans leur lit. Je recentre la discussion autour du livre d'Albert. Après tout, c'est pour ça que je suis ici. Parce que Fanny est tombée un jour par hasard sur un article et qu'elle a voulu en savoir un peu plus. Avec raison. Et parce que l'histoire d'Albert est bouleversante à tous les égards. De la cruauté inhumaine de sa maman à sa capacité de résilience surhumaine à lui, en passant par sa rage de vivre, son cœur généreux.

Dernier coup d'œil à l'horloge. Juste le temps pour une dernière question. La plus importante, sans doute. Fondamentale, même. « Comment peut-on éviter les génocides ? »

— À l'aide d'un minimum d'esprit critique, déjà.

Un bras se déplie.

— C'est quoi l'esprit critique ?

— C'est savoir s'interroger et remettre les choses en question. Comme Albert l'a écrit dans son livre, l'ignorance et le manque d'éducation sont en partie responsables du génocide de 1994. À partir du moment où les gens ne savent ni lire ni écrire, ils n'ont aucun moyen de vérifier ou de remettre en question la véracité des informations qui circulent.

Je m'approche du grand tableau pour y écrire l'essentiel à retenir :

« L'ignorance est la racine même du mal. L'éducation est la clef de la vie. »

La cloche retentit dans l'école. Benoît me fait un petit signe de la main. Les jeunes se lèvent pour m'applaudir et me remercier chaleureusement. Je profite de l'entre-deux pour leur rappeler quelques notions fondamentales. Dans un cri du cœur, j'essaie de leur dispenser deux ou trois dernières bribes de sagesse : « Ne pas avoir peur de se tromper. Donner sans rien attendre en retour. Les rencontres et amitiés sont très importantes. Elles vous accompagnent toute la vie... »

La classe se vide petit à petit. Je ramasse mes feuilles et mes affaires. Dehors, la pluie s'est arrêtée. Le ciel se dégage. Le soleil joue du coude pour se faire une place entre les nuages. Benoît propose de me raccompagner jusqu'à l'arrêt d'autobus. Chemin faisant, je lui répète à quel point j'ai trouvé ses étudiants formidables.

— Ils sont fort bien élevés, comme dirait ma mère.

— De vrais petits éveillés, comme dirait mon père.

Nous nous quittons au coin de la rue. J'attends longtemps mon bus, mais ça n'a aucune espèce d'importance. La température est douce et mon esprit flotte comme sur un nuage. Les contours de mon bus commencent à se dessiner à l'horizon au moment où je reçois un texto de Dydine : « Nous avons l'honneur et le plaisir de vous annoncer la naissance de notre bébé fille Ada Lana (Lana en ton honneur, Héléna). »

De grosses larmes de joie embuent mes yeux quand les portes s'ouvrent devant moi.

Ada Lana.

J'embarque. Cette fois, le chauffeur m'accueille en me souriant à pleines dents. J'ai l'impression d'être une figurante dans un sketch tourné avec une caméra cachée.

Ada Lana.

Je m'installe sur un siège près de la porte arrière. J'ai à la fois envie de rire et de pleurer. Dehors, le soleil brille pour tout le monde et fait gonfler les bourgeons. Jamais je n'aurais imaginé qu'on baptiserait un jour un enfant en mon honneur. Et encore moins selon la déclinaison kanyarwandaise de mon prénom.

Lana

Je regarde un moment le ciel à travers la fenêtre de l'autobus avant de répondre à Dydine. « Wahooo ! Lana... ? *It's so sweet of you!* Félicitations !! Que Dieu soit pour toujours avec vous !!! »

J'attends quelques minutes avant de me décider à appuyer sur la touche « envoyer ». Sans trop savoir pourquoi. Peut-être pour faire durer un peu le plaisir.

Et je me dis que lorsqu'on accepte de *changer de vie*, la vie nous réserve souvent de sacrées belles surprises.

Table des matières

Cet ouvrage composé en Celeste corps 12 a été achevé d'imprimer au Québec
sur les presses de Marquis Imprimeur le vingt-sept août deux mille dix-neuf
pour le compte de VLB éditeur.